UN PERSONNAGE DE ROMAN

PHILIPPE BESSON

UN PERSONNAGE
DE ROMAN

Julliard

À ma grand-mère, disparue
à l'âge de quatre-vingt-quatorze ans,
et qui aurait adoré cette histoire.

« On devrait toujours être légèrement improbable. »

Oscar Wilde, *Aphorismes*

Une vedette amarrée attend, ballottée par le clapotis des eaux miroitantes du fleuve. Sur le quai, on aperçoit des hommes en costume sombre, qui étouffent probablement dans la chaleur caniculaire de cette fin d'été et patientent eux aussi. Des caméras, posées au loin, filment la séquence. Et les téléobjectifs des paparazzi sont à l'affût, dissimulés ; on devine que la séquence finira dans les pages glacées des magazines. À y regarder de plus près, on pourrait se croire dans un film italien en couleurs de la fin des années cinquante, ces films romantiques et violents. Sauf qu'on est le 30 août 2016 et que la scène est bien réelle. La navette fluviale, d'un blanc immaculé, continue d'attendre. Les caméras continuent de filmer cette attente. Et soudain, sans prévenir, le jeune homme pressé apparaît. Il est souriant, il salue les costumes sombres ; il porte contre son flanc gauche un dossier. Plus tard, on zoomera sur le document qui en dépasse. C'est une lettre. L'annonce d'un départ. L'histoire peut commencer. Celle d'une conquête.

D'autres, mieux informés que moi, estiment que l'histoire a, en réalité, commencé bien plus tôt. Ils évoquent les jalons posés au cours des mois précédents. Le lancement de son mouvement en avril, le premier grand rassemblement de ses troupes en juillet, mais surtout des déclarations transgressives, de plus en plus nombreuses, de plus en plus rapprochées, qui annonçaient forcément une rupture, des accrocs répétés qui manifestaient une insubordination et marquaient la volonté d'un affranchissement. Ils ont raison, ceux qui disent cela. Moi-même je pourrais dire comme eux. Dans nos conversations, dès le printemps, le jeune homme laisse entendre son intention d'y « aller », pas pour lui-même prend-il soin de préciser chaque fois, mais pour défendre des idées dont il est convaincu que personne d'autre ne les portera. Rien n'est explicite, tout est sous-entendu, cependant son ambition s'affirme peu à peu. Si je persiste à nourrir des doutes sur cette possible échappée, c'est parce que je me répète que sa solitude le condamne. Je n'ai pas compris qu'il tient à en faire un atout. Qu'elle sera même son viatique, cette insolente solitude. Une provision pour le voyage.

Mais ce 30 août, avec l'image du bateau blanc qui file désormais sur la Seine à vive allure, sous un ciel sans nuages, en direction du palais de l'Élysée, avec la lettre, les doutes sont balayés. Cette fois, j'en suis persuadé : il y va. Du reste, l'image elle-même l'affirme. Il part à l'abordage.

Juste après, il y a une éclipse. On *sait* que le jeune homme pénètre dans le palais mais on ne le *voit* pas. Il emprunte une porte dérobée, un passage secret. Il fait son entrée dans le bureau du président à 15 h 30, c'est «inscrit à l'agenda». Le président sait ce que vient faire le jeune homme, ils s'en sont entretenus la veille au téléphone, et les télés ne parlent que de ça depuis plus de trois heures. Espère-t-il encore le convaincre de changer d'avis ? Non, il a compris que c'était trop tard, que le mal était fait, que l'existence même de l'information tournant en boucle sur les chaînes de télévision condamne toute marche arrière. En revanche, il entend bien lui signifier ce qu'il en pense, de ce départ, de cette désertion (on ne s'en va pas quand il reste tant à faire, on ne s'en va pas quand on a l'honneur de servir son pays), de cette trahison (je t'ai créé, je t'ai fait, comment peux-tu manquer à ce point de reconnaissance?). Le jeune homme écoute le président, il ne dit rien, il s'en tient à la décision prise. L'autre insiste, exige de connaître ses intentions. Le jeune homme résiste, ne sort pas de l'ambiguïté qu'il entretient savamment depuis des semaines. L'entretien tourne court. Ultérieurement, le jeune homme n'aura qu'un mot pour le qualifier : *factuel*. «J'ai toujours séparé la politique de l'intime. Donc oui, c'est resté factuel.» Il reprend son bateau blanc, sa vedette qui fend les flots. Il fait un soleil extravagant.

Arrêtons-nous un instant sur cette notion de trahison, qui va prospérer dans les heures et les jours qui suivent. Une référence historique est convoquée : c'est Brutus assassinant César, d'un coup de poignard. La tragédie est également appelée à la rescousse : on vient d'assister à un parricide, c'est Œdipe tuant Laïos, c'est le bâtard Smerdiakov planifiant et accomplissant son crime contre Fiodor, le patriarche. Pourquoi pas? Mais si l'on défend cette théorie, alors il faut admettre qu'on est le tenant d'une monarchie dans laquelle il convient d'attendre la mort du roi. Ou d'une république d'obligés, de redevables, de débiteurs, d'une république de prébendiers. Ou, pire encore, d'une démocratie partitaire dans laquelle il faudrait patiemment gravir les échelons, en bon apparatchik. C'est de la politique à l'ancienne, de la politique à la papa.

Ceci également : si on estime qu'un individu n'est pas autorisé à s'émanciper, c'est parce que au fond on considère qu'il n'existe pas par lui-même, réduit à une créature, une marionnette ; ses compétences propres ne sont rien, tout lui a été donné par l'autre, Pygmalion. Je l'avoue, cette vision me dérange : nul n'est tenu de rester bloqué dans une éternelle enfance, dans une infériorité.

Par ailleurs, la notion de trahison renvoie inévitablement à la notion de confiance. Sauf que la question est moins posée à celui qui la reçoit qu'à celui qui l'accorde.

Elle suppose enfin une sorte d'aveuglement. Faut-il rappeler que François Hollande, présumé être le plus fin politique d'entre tous, l'homme qui soupèse mieux que personne les équilibres, qui slalome entre les écueils, n'a pas vu venir en 2006 Ségolène Royal (pourtant sa compagne), en 2016 Emmanuel Macron (pourtant son «fils adoptif»)? À l'évidence, il est au moins hypermétrope. Il ne sait pas voir de près.

(Voici que je viens d'employer les vrais noms, les véritables identités, pour la première fois depuis le commencement de mon récit. Et, je l'avoue, je m'en trouve un peu perturbé. Cependant comment y échapper ? Du reste, comment dois-je désigner le sujet, l'objet de ce livre ? Emmanuel ? Trop familier. Emmanuel Macron ? Trop long. Macron ? Trop brutal. Emmanuel M. ? Durassien. Mais durassien, ça me plaît. Va désormais pour Emmanuel M.)

Qu'en dit, précisément, l'intéressé ? Il récuse le parricide : « Le président n'est pas mon père. Et j'avais une carrière avant de le rencontrer. Moi, j'ai eu un métier. » (On ne peut s'empêcher d'entendre le tacle dans cette dernière réplique). Il récuse également la trahison. « Sarkozy a trahi Chirac en 1995. Moi, je n'ai pas passé vingt ans avec Hollande. » Fermez le ban.

Après l'épisode de la navette fluviale, vient celui de la forêt de caméras dans la forteresse de Bercy, le long du couloir vitré et métallique, viennent les mots solennels prononcés derrière un pupitre, les mots d'une éclosion davantage que ceux d'un au revoir.

Plus tard, en tête à tête, il me fournira sa propre explication : « Je ne suis pas un dissimulateur et je me devais d'être en cohérence, il fallait que je parte. Pourtant, je ne suis pas un homme de rupture. Je déteste le conflit.» Et c'est la période qui l'aurait décidé à franchir le Rubicon : «Une période très grave. La décomposition du capitalisme, la tension démographique, un changement technologique majeur. On ne vit pas 1958, on vit la Renaissance. Notre civilisation peut disparaître, elle est peut-être déjà morte. Je suis peut-être le dernier des Aztèques qui gigote. Les petites compromissions et les pratiques disciplinaires, ça n'était plus à la hauteur de la situation. J'ai préféré partir et prendre le risque de périr.»

Je sursaute : «Périr ?» Il s'explique : «Si je me rate, je serai sorti de leur système. Cela étant, je m'en fiche, d'être sorti de leur système.»

Le soir du 30 août, Emmanuel M. apparaît sur le plateau du journal télévisé. Il est 20 heures. Il se produit alors, en moi, une chose étrange. L'apparition provoque une illumination, une révélation. Je pense : cet homme sera président un jour. Et ce n'est pas à cause de ce qu'il dit, non, c'est à cause de *l'image*, de ce qui se dégage de *l'image*, en cet instant précis.

(Illumination, ai-je dit. Cela fait donc de moi un illuminé, j'en conviens.)

C'est cette impression d'irrésistible qui décide le livre. Je songe : je vais écrire l'histoire de l'homme qui devient président.

Très vite, cependant, mon élan mystique est corrigé par mon incurable lucidité et par les lois de la probabilité. Je me remémore les fondamentaux : on ne remporte pas une élection sans parti, sans troupes, sans argent, sans expérience, on ne remporte pas une présidentielle à trente-neuf ans.

Alors je me dis : je vais *au moins* écrire une aventure. Une aventure dont j'ignore l'épilogue, mais dont je sais déjà qu'elle sera faite d'étapes, de rebondissements, de péripéties, de risques, d'obstacles, de franchissements d'obstacles, de hasard, de nécessité. «*La découverte passionnée de l'inconnu*», disait Kundera.

Je vais écrire une espérance. Et dans l'espérance, on entend le souffle, l'exaltation, le bouillonnement, on redoute les désillusions.

Je vais écrire le destin d'un personnage et nous verrons bien s'il s'agit d'un destin fracassé, ou inabouti, ou accompli.

Et puisque j'évoque un personnage, il est tentant d'aller débusquer un référent littéraire. Qui serait-il ? Frédéric Moreau, le jeune provincial monté à la capitale, décrit par Flaubert dans *L'Éducation sentimentale* ? Comme lui, il est confronté aux révolutions d'un monde qui hésite entre plusieurs régimes politiques, mais à l'inverse de lui, il n'aime pas désirer en vain et ses rêves ne le détournent pas de l'action. Adolphe, inventé par Benjamin Constant ? Il en a probablement l'intelligence supérieure et le penchant pour une femme plus âgée mais il n'est pas aussi changeant, pas aussi indécis que lui. Eugène de Rastignac, le jeune loup aux dents longues, imaginé par Balzac ? Banquier, comme lui. Libéral, comme lui. Mais il ne me semble pas être prêt à tout pour parvenir à ses fins, pas avoir son cynisme. Julien Sorel, alors, le jeune héros stendhalien, beau et ambitieux ? Il en a la fougue romantique, le goût de la séduction, la volonté du combat. Mourra-t-il aussi dignement sur l'échafaud ? Fabrice del Dongo (autre figure de Stendhal), au naturel ardent, indépendant et rêveur, qui brave l'autorité du père, devient guerrier et lutte contre l'ordre ancien ? Sauf que j'ai du mal à l'imaginer heureux dans l'emprisonnement. Mais qui sait où se niche le bonheur ?

(L'essayiste et entrepreneur Mathieu Laine, qui le connaît depuis huit ans, va chercher, lui, du côté de chez Rostand : «Il y a du Cyrano dans son élan. Quelle audace, quel panache ! Ses convictions sont si fortes qu'il les porte de manière chevaleresque, sans peur d'affronter des oppositions. Et il sait marier la disruption et la restauration de la tradition.»)

Lui, comment se présente-t-il ? «*J'ai fait l'ENA, je suis inspecteur des Finances, j'ai travaillé dans une banque d'affaires, puis pour François Hollande durant la campagne présidentielle de 2012, et j'ai été à son service durant plus de deux années comme secrétaire général adjoint de l'Élysée. J'ai été ministre de l'Économie, de l'Industrie et du Numérique, avec passion. Voilà pour la biographie officielle. Mais ma vie, c'est aussi d'autres choses. Je suis né à Amiens il y a trente-huit ans. J'ai été élevé par mes parents, médecins de service public tous les deux, aux côtés de mon frère et de ma sœur. Jusqu'à sa disparition récente, j'ai été extrêmement proche de ma grand-mère. Elle était principale de collège. Si ma réflexion et mon engagement politiques n'avaient qu'une origine, ce serait elle. J'ai effectué ma scolarité dans ma ville natale. Au lycée, j'ai rencontré celle qui deviendrait mon épouse, Brigitte, et qui ensei-*

gnait alors le français et le théâtre. Lorsque je regarde en arrière, je peux dire que j'ai eu de la chance. J'ai grandi dans un milieu aisé. Mes années d'enfance et d'adolescence ont été synonymes de rencontres, de lectures, de découvertes. Elles m'ont incité, un peu plus tard, au cours de mes études, à aller vers la philosophie et à assister Paul Ricœur dans son travail. Je ne cesse encore aujourd'hui de le lire et de tenter de nourrir mon action de ses réflexions, de sa philosophie et de ce qu'il m'a appris. Enfin, il y a ma famille. Mon socle, mon refuge. Nos enfants et beaux-enfants, et nos sept petits-enfants. »

Arrêtons-nous sur ce portrait.

On voit d'emblée ce qui peut séduire : l'enfance provinciale. Il pourra faire valoir qu'il vient d'une région moins favorisée que beaucoup d'autres, la Picardie, d'une ville – Amiens – administrée par les communistes tandis qu'il est jeune garçon, qu'il sait la dureté d'un climat, le cours paisible d'un fleuve et la beauté d'une cathédrale. Le lien à la grand-mère aussi a quelque chose de touchant ; cette femme qui enseignait, qui l'a aidé à grandir, a éveillé son esprit, et qui vient de mourir, laissant un vide où s'engouffreront les psychologues de comptoir. Le fait de s'être élevé par les études, d'être un produit de la méritocratie républicaine peut également faire son effet.

On voit ce qui peut intriguer : l'amour du lycéen pour son professeur, de l'adolescent pour une femme de vingt-quatre ans son aînée, cette incongruité, la folle promesse faite dans l'âge le plus ardent, et tenue. Et, à la fin, cette famille qui ne ressemble à aucune autre. On retiendra aussi le goût pour le théâtre, mais est-ce amour de l'art ou attrait pour la lumière ? Et l'accointance avec un vieux philosophe : une singularité supplémentaire.

On voit surtout ce qui peut rebuter : la jeunesse dorée, le lycée privé, l'inspection des Finances, Rothschild, les millions gagnés en un temps record, ce compagnonnage permanent avec l'argent et les forces de l'argent. Et sa fréquentation des allées du pouvoir, qui plus est détenu par un dirigeant honni, vilipendé. On prête à Laurent Fabius une caractérisation cruelle : selon l'ancien «plus jeune Premier ministre de France», Emmanuel M. ne serait qu'un «*petit marquis poudré*» (il est vrai qu'il sait de quoi il parle). Pas évident avec un pedigree pareil de plaire au plus grand nombre, ce qui est tout de même la définition de l'élection présidentielle.

Ce que j'escompte (égoïstement), c'est qu'il sera son propre personnage, détaché de toutes références, et que ça suffira. J'escompte aussi que le roman personnel rencontrera le roman national. Car c'est probablement cela, le véritable sujet du livre que j'entends écrire.

Le lendemain, j'ai une conversation avec l'intéressé afin de l'informer de mon intention. Je le connais depuis deux ans, nous nous sommes croisés la première fois à un dîner chez des amis communs, nous nous sommes revus, nous avons sympathisé, nous nous voyons de loin en loin, il nous arrive d'échanger des SMS, nous parlons de la vie ordinaire, de littérature, assez peu de politique, j'ai de l'admiration pour son intelligence, de l'affection pour lui, une grande tendresse pour son épouse, une curiosité pour le couple égalitaire qu'ils forment, je n'ai en revanche aucune fascination pour le pouvoir qu'il exerce, d'une manière générale je me tiens à bonne distance du pouvoir, seule parfois m'intéresse sa dimension tragique, déformation de romancier, ou sa dimension anecdotique, déformation de vieux gosse facétieux, et j'en aime certaines figures, celle de Mitterrand par exemple, précisément pour leur ampleur romanesque, je sais que les écrivains qui se sont approchés du pouvoir s'y sont souvent perdus, et que ceux qui l'ont regardé, disséqué ont parfois fait de la bonne littérature. Quand j'évoque mon projet de livre, Emmanuel M. ne m'encourage pas, ne me décourage pas. Je demande un accès à sa personne, à son agenda, à son quartier général. Il dit : c'est d'accord. Sans rien exiger en retour. Aucun contrôle. Aucune relecture. Je ne lui demande pas pourquoi il est d'accord. Je suppose que sa confiance tient à notre affection réciproque.

Septembre

Il effectue sa première sortie officielle d'homme «libre» dans les allées de la foire de Châlons-en-Champagne. Il est suivi par une nuée de journalistes, de photographes, de cameramen. Ceux-là ne voudraient pour rien au monde passer à côté d'un possible phénomène, mais ce faisant, ils participent à son avènement. Sur place, c'est la folie, ça se bouscule, ça se piétine, ça s'agglutine, ça hurle. La foule réclame des selfies, il s'y prête sans retenue. Un vieux routier de la politique, observant ce tumulte, le concède : «*Il se passe quelque chose.*» Je sens qu'on va l'entendre souvent, cette phrase.

Ce succès du jour ne fait, en tout cas, que conforter Emmanuel M. dans l'analyse qu'il développe depuis des mois. Quelle est-elle, cette analyse ?

Les Français sont fatigués de l'ancien monde. Ils ont compris, admis les profondes mutations de notre société, et veulent qu'on s'occupe désormais des urgences du présent ainsi que des enjeux du futur. Lui, avec sa modernité, sa capacité à identifier les opportunités de la mondialisation, à embrasser la révolution numérique et environnementale, est mieux placé que personne pour répondre à leurs attentes.

Les Français veulent renverser la table, faire «turbuler» le système, se débarrasser d'un modèle politique binaire qui échoue depuis plus de trente ans, ils réclament une nouvelle donne, une autre façon de faire. Lui, avec son refus des partis traditionnels («cliniquement morts», balance-t-il – toujours l'insolence), des étiquettes, sa relative virginité, son désir de faire travailler ensemble les progressistes et de renvoyer les conservateurs à leur stérile nostalgie, serait l'homme de la situation.

Les Français ne veulent plus de Hollande ni de Sarkozy, ils les détestent, vont jusqu'à leur dénier la faculté de se présenter à leurs suffrages.

Or, ces deux-là s'activent pour préparer le match retour de 2012, animés d'une soif de revanche personnelle. Quant à Marine Le Pen, elle est bloquée par un plafond de verre et reste majoritairement infréquentable. Il y aurait donc un coup à jouer, une place à prendre.

Cela se tient.

Enfin, cela se tient... Si on met de côté que les Français clament leur foi en l'avenir mais ne cessent de se réfugier dans le «c'était mieux avant», réclament toujours des réformes mais s'y opposent systématiquement dès que quelqu'un s'efforce de les mettre en place, aspirent à la révolution mais élisent un roi, vomissent les partis mais votent pour eux, jouent au loto mais haïssent les individus liés à l'argent.

Et si on occulte que la théorie du troisième homme, présumé incarner une autre politique, est aussi ancienne que l'élection présidentielle. Et que cette théorie s'est, chaque fois, fracassée sur le réel, avec les échecs successifs de Lecanuet en 1965, de Jobert en 1981, de Chevènement en 2002, de Bayrou en 2007.

Emmanuel M. n'aurait donc pas un boulevard devant lui. Au mieux un trou de souris.

Qu'importe, il y va. Et gare à ceux qui voudraient l'en empêcher.

Il y a deux manières de voir ce qui advient dans la foulée.

Celle favorable à Emmanuel M. : il tient à s'immerger dans la France réelle, à rencontrer ses concitoyens, à dialoguer avec eux sans filtre, à nourrir son projet de ces échanges.

Celle qui lui est hostile : il faut rapidement corriger son image de banquier déconnecté des problèmes des «petites gens», l'envoyer en province, en banlieue, aux champs, au pied des immeubles, afin de démontrer sa proximité en même temps que sa popularité.

Dans le premier cas, une démarche politique, au sens le plus noble du terme. Dans le second, le storytelling le plus éculé.

La réalité est sans doute un mélange des deux.

Le voici à Montmartre, sortant d'un bistrot où il vient de déjeuner en compagnie de son épouse, s'offrant une promenade romantique sur la Butte, descendant les marches sous l'œil curieux des badauds : voyez comme il est accessible, affable, galant, voyez comme il se mélange aux autres, d'ailleurs sa femme porte jean et baskets.

Le voici à Aurillac, dans le Cantal. Dans une ferme au petit matin. Il propose de traire une vache. Il n'y arrive pas. Il y a encore du boulot.

La vache dégaze, le beau costume se retrouve taché de merde. Dieu merci, pas d'images de l'incident. Mais une odeur persistante, pendant le trajet du retour. Personne n'a pensé à prendre une tenue de rechange. Des débutants.

Et puis vient ce dimanche à Wattrelos, où se tient la fête des Berlouffes, le plus grand vide-greniers amateur de France. Emmanuel M. débarque dans cette banlieue de Lille, à un souffle de la frontière belge, à l'invitation du maire. Je découvre les lieux : un terril, des entrepôts alentour, reliquat de la période dorée de La Redoute, des friches industrielles, une église et une mosquée en plein centre-ville, une population mélangée et modeste, le goût de la fête avec un carnaval au printemps et des cortèges de lampions à l'automne. Aussitôt arrivé, Emmanuel M. prend un bain de foule au milieu de Chtis pur sucre et de femmes voilées, de cracheurs de feu et de vendeurs de fripes, dans l'odeur de merguez, dans les effluves de bière, et je suis frappé de constater à quel point il semble à l'aise : il distribue les accolades, les bises, se prête aux selfies, accepte tous les apartés, serre des mains. Je n'oublie pas que de nombreux politiciens font cela à merveille dès que revient la saison des élections et que chez eux aussi le geste a l'air naturel alors qu'il est empreint d'arrière-pensées et de calculs et suscite en général des sarcasmes teintés de mépris social de la part des intéressés dès que ceux-ci grimpent dans le train du retour pour regagner les beaux quartiers. Cependant, je ne peux m'empêcher d'être convaincu par l'élan qui pousse le jeune homme bien peigné vers ses compatriotes si dissemblables. Il a tellement d'aisance, il ne manifeste, même malgré lui, aucune réticence, il ne paraît pas forcer sa nature. Il me le confirme : «J'aime aller au contact. Si tu n'aimes pas ça, tu fais autre chose.» Il faut dire que l'accueil qui lui est réservé ne peut que l'encourager. Aucun sifflet, aucune huée, alors que l'homme appartenait il y a moins de quinze jours encore à un gouvernement impopulaire et incarnait une politique économique abhorrée. Toutefois, sur un côté du cortège, j'entends finalement fuser : «Encore un corrompu qui vient nous vendre ses salades !» mais au fond l'insulte n'est pas dirigée contre lui, elle est générale, adressée à la classe politique. Un «Millionnaire !» sonore claque également un peu plus loin : cette interjection est la plus dangereuse pour lui, elle rétablit le gouffre entre eux et lui, il fait mine de l'ignorer, poursuit son chemin, le garde du corps, quatorze ans de GIGN au compteur, s'est contenté d'un regard noir, les caméras de France Télévisions qui l'accompagnent n'en ont rien raté, on vient interroger l'impudent qui redit sa «haine des riches». Emmanuel M. continue de sourire. Plus tard, il déguste des moules-frites, ça fera de belles images. Il subsistera, chez certains qui l'auront croisé, le souvenir qu'il est venu, qu'il n'a pas eu peur, qu'il s'est montré simple, qu'il ne les a pas pris pour des moins-que-rien.

L'argent, parlons-en. Pas du sien, après tout il a le droit d'en avoir ou de ne pas en avoir. Non, celui qu'il faut pour mener campagne. Son mouvement politique ne reçoit aucun subside public. Il doit donc solliciter de généreux donateurs, toutefois limités dans leur générosité puisqu'un plafond de 7 500 euros est fixé par la loi française. Ce faisant, il court un double risque : apparaître comme quelqu'un qui part à la chasse aux billets de banque (alors que cette pratique est courante et encouragée en Amérique par exemple) et être accusé de se mettre dans la main de lobbies qui, inlassablement, tentent de gangrener (souvent avec succès) les hommes et les institutions politiques. Du reste, François Bayrou s'engouffre dans la brèche en dénonçant les puissances occultes, présumées attendre un retour sur investissement : «Derrière cet hologramme, il y a une tentative qui a déjà été faite plusieurs fois de très grands intérêts financiers et autres qui ne se contentent plus d'avoir le pouvoir économique, ils veulent avoir le pouvoir politique.» Cette attaque pourrait causer des ravages. Il s'en agace devant moi : «Si j'aimais tant que ça les puissances de l'argent, je serais resté dans cet univers. Mais je n'aimais pas le cynisme qui s'en dégage. Et puis, tu connais beaucoup de gens qui acceptent de diviser leur salaire par dix ? C'est ce que j'ai fait quand j'ai rejoint l'Élysée. Qu'on ne vienne pas me donner des leçons.» Il en profite pour ajouter une pichenette à l'intention de François Bayrou : «Il était ministre de Balladur, lequel obéissait à tant d'intérêts financiers. Il n'a pas démissionné, que je sache.» Et enfonce le clou, visant le personnel politique dans son ensemble : «Tant d'agressivité, c'est suspect, non ? Ces gens, au fond, sont des commerçants qui tiennent un bout de rue. Ils estiment qu'ils ont une patente.»

Donc, s'agissant de l'argent, il n'a pas le choix : il lance un appel aux dons et part à Londres en vue de s'adresser à une communauté supposée aisée et bienveillante. *Libération* s'en amuse : «*Le lieu choisi ressemble à un clin d'œil malicieux. Sur le site internet de HomeHouse, club sélect privé au cœur de la capitale, les règles sont claires. "La nudité est découragée", est-il précisé. En revanche, indique le club, la "naughtiness", que l'on pourrait traduire par l'insolence, la mauvaise conduite, voire la désobéissance, est de rigueur.* » Tout un programme. Le sien ? En tout cas, il rentre de la capitale britannique avec de quoi tenir un peu. Entretenir la flamme. Ou l'illusion.

Les premiers sondages sont publiés et ils offrent une divine surprise. Certes Emmanuel M. ne s'y qualifie pas pour le deuxième tour, mais se glisse en troisième position dans tous les cas de figure. D'un coup, il devance tous ses rivaux potentiels à gauche comme au centre, relègue Mélenchon et Bayrou, mais surtout enfonce Hollande. Le crime paye. En tout cas, celui de lèse-majesté. Ces études l'installent dans le paysage. Il n'est peut-être pas un mirage. Les coups redoublent aussitôt. L'intéressé ne s'y trompe pas, qui lâche : « Les autres ? Ils répondent en tapant. » Comme s'ils avaient flairé le danger. Et il n'est toujours pas candidat !

Sylvain Fort, son nouveau conseiller en communication, auteur de livres sur Puccini, traducteur d'allemand et de grec ancien (caractéristiques assez rares, je crois, chez les communicants), me confie : « Vous comprenez, s'il est élu, tout change.» J'en accepte l'augure. Sans y croire tout à fait.

Les journalistes, comme souvent suiveurs d'opinion, flairent aussitôt le filon. Ils se rangent, plus ou moins ouvertement, derrière l'enfant prodige, tant qu'il a les faveurs du peuple. Ils le traîneront dans la boue dès que le vent tournera, cela ne fait pas le moindre doute. En attendant, ils lui consacrent leurs couvertures.

Et puisque son bilan a été décortiqué dès l'annonce de sa démission, puisqu'il n'a pas encore de programme, il leur faut trouver autre chose. Ils s'intéressent donc à son épouse.

Il faut reconnaître que Brigitte M. détonne. Tout, chez elle, retient l'attention : l'apparence, l'allure, l'âge, la liberté présumée, les conventions bousculées, les codes déplacés. Et quand on la fréquente un peu, comme c'est mon cas, on demeure quand même surpris, intrigué, troublé. À un magazine qui me demande son portrait, je livre ceci :

«Elle est née Trogneux, dans une famille bourgeoise très aisée. Son père dirigeait une fabrique de chocolat ainsi qu'une quinzaine de magasins, sa mère le secondait. Elle dit souvent que ses parents formaient "un couple indissociable". Elle est la petite dernière d'une fratrie de six, arrivée longtemps après ses frères et sœurs. Elle m'a avoué, un jour : "J'ai été très gâtée, affectivement, socialement, j'avais tout, je ne pouvais me plaindre de rien et pourtant, j'ai été une adolescente en souffrance." J'ai alors voulu savoir si la raison de cette souffrance était à chercher du côté d'un désir informulé de s'affranchir de son milieu, elle m'a répondu, malicieuse : "J'ai fait quinze ans de Sacré-Cœur, ça te maintient dans le droit chemin." En réalité, elle ressentait une inadéquation profonde entre son existence et ses aspirations. Dans un bref moment de relâchement, elle est même allée jusqu'à évoquer "une fêlure existentielle". On peut devenir Mme Bovary pour moins que ça.

Elle se marie à vingt ans, devient Auzière, respectant ainsi la tradition. Ce faisant, elle rentre dans le rang, estompe l'effronterie qu'elle manifeste çà et là. Elle le fait aussi pour avoir des enfants (elle éprouvait un "puissant désir de maternité"). Elle en aura trois : Sébastien (ingénieur aujourd'hui), Laurence (cardiologue), Tiphaine (avocate). Elle assure qu'elle ne peut pas vivre sans eux, qu'ils lui sont essentiels. Elle leur parle tous les jours. S'agissant de ses petits-enfants – elle en compte sept à ce jour, qui vont de un à onze ans –, c'est autre chose : elle "veut à tout prix leur plaire", s'amuse-t-elle. Mais il faut dire que son rôle n'est pas de les éduquer.

Elle deviendra professeur aussi, pour aider à forger le destin des enfants des autres. Paraphrasant Flaubert, elle dit de son entrée dans l'enseignement : "Ce fut comme un éblouissement." Elle ne connaît pas de "métier plus extraordinaire, un métier de patience, jamais vain. Quand tu fais une introduction à Baudelaire et qu'au bout de deux heures, quand la cloche sonne, les élèves restent dans la classe, tu te sens des semelles de vent". Elle se révèle une prof enthousiaste, désireuse de communiquer ses passions à ses élèves. Quelles passions ? "Dom Juan !" lance-t-elle toujours, en ouvrant grand les bras. Parce qu'elle adore l'impertinence. Parce qu'elle adore la libre pensée.

Un jour, elle a avancé une autre raison : "Parce que Dom Juan sait qu'il va mourir et il y va." Comme je m'en étonnais, elle en a rajouté une couche, en m'expliquant pourquoi Maupassant figurait également au nombre de ses passions : "Il voit la mort partout. Et moi aussi. J'ai perdu beaucoup de gens, très jeune. C'est insupportable." Cela étant, elle n'a pas peur de la mort, mais du "passage, oui", de l'agonie.

Dans son emportement, il faut, à n'en pas douter, déceler du romantisme. Un bien gros mot, n'est-ce pas ? Si gros qu'elle le corrige devant moi régulièrement, dans un sourire : "Tu sais bien que je combats ce romantisme échevelé par un réalisme cruel." Je ne la crois qu'à moitié. Comme il se trouve que je connais les circonstances de sa rencontre avec celui qui partage sa vie aujourd'hui, je peux facilement affirmer que c'est ce fameux romantisme qui, alors, l'emportait sur toute autre considération.

Nous sommes en 1992, sa fille Laurence, élève au lycée La Providence, à Amiens, a dans sa classe un certain Emmanuel Macron. Tout de go, la jeune fille annonce à sa mère : "Il y a un fou avec nous, il sait tout sur tout." Recevant des prix d'excellence, le fou en question livre un discours sur la vanité des récompenses. Son impertinence tape dans l'œil de Brigitte. Il joue *Jacques et son maître* de Kundera, c'est elle qui le maquille pour la représentation. Elle anime une classe de théâtre, il veut écrire une pièce, d'après un livret d'Eduardo De Filippo, *L'Art de la comédie*, ils décident de se retrouver tous les vendredis soir, elle l'aidera à accoucher de cette pièce (elle existe encore quelque part, la lira-t-on un jour ?). Dans cet exercice, elle mesure alors "toute l'étendue de son intelligence".

Vingt-cinq ans après, c'est encore cette intelligence qui la bluffe et la séduit : "Une intelligence qui peut tout épouser. Mais il n'est pas seulement brillant, beaucoup de gens le sont, non, lui, son truc, c'est qu'il n'est pas dans la norme."

Leur relation non plus n'est pas dans la norme. De cela, elle a conscience immédiatement. La différence d'âge lui pose problème (à elle), c'est lui qui devra vaincre ses réticences. L'acceptation par ses enfants fera sauter la dernière digue. Et puis aussi cette révélation : "Je me suis dit : je vais passer à côté de ma vie si je ne le fais pas." Mme Bovary encore, mais qui aurait échappé à son funeste destin.

Alors, bien sûr, elle souffre des persiflages. Sa notoriété récente les a multipliés : on lui rappelle en permanence, à longueur de journaux, et dans la fange des réseaux sociaux, cet écart entre eux. Ce qu'on accepte chez un homme, on le dénie à une femme. La féministe en elle se réveille : "Cette injustice peut me mettre en colère. Je peux me montrer très revendicatrice." Un jour, je lui ai demandé, en souriant, si Emmanuel était heureux de vivre avec une féministe. En retour, elle m'a lancé : "Il a épousé une emmerdeuse en connaissance de cause", avant de partir d'un grand rire de gorge.

Leur couple, justement, qu'en dit-elle ? Que c'est de l'alchimie. Rien d'important ne se fait sans l'autre. Ils sont nécessaires l'un à l'autre. Elle se rend compte qu'au fond, sans le vouloir, elle a reproduit le modèle de ses parents ! La modernité en plus : ils s'échangent en permanence des SMS complices. Elle assure lui dire la vérité en toutes circonstances, se montrer franche avec lui, éviter la flatterie, pointer ses échecs comme ses succès.

Le conseille-t-elle dans ses choix ? On lui prête une grande influence (et c'est bien connu, on ne prête qu'aux riches). L'a-t-elle poussé à démissionner, par exemple ? Elle dégaine une formule qu'on jurerait toute prête à servir : "Je ne le pousse pas, je l'accompagne." Mais elle m'a confié au lendemain de la démission : "Il fallait du courage pour partir." Je lui ai objecté que certains évoquaient un parricide. Elle s'en est offusquée, convaincue que ceux qui parlent ne savent rien de la relation entre son mari et l'actuel président. Ni de leur souffrance respective. Elle est, du reste, persuadée qu'un jour, ces deux-là se retrouveront, loin de la politique.

Et le proche avenir, comment l'envisage-t-elle ? Elle prétend n'avoir "aucune idée" de ce qui va se passer maintenant. Elle mesure les difficultés qui attendent son époux. Elle connaît aussi sa force : "Il est capable de toutes les réussites." Et pour expliquer son désir d'une nouvelle donne, elle cite Apollinaire : *"À la fin, tu es las de ce monde ancien."* Les Français ne sont pas loin de penser comme lui, comme elle. »

(À ce portrait, j'aurais pu ajouter ceci : ce couple s'est construit dans l'hostilité, face au doute, aux quolibets, à l'opprobre, aux vents contraires, il s'est construit dans la rupture, dans la transgression, dans la solitude. Il leur a fallu à ces deux-là surmonter les réactions de la famille, de l'entourage, il leur a fallu affronter les regards soupçonneux, les commentaires fielleux. Ayant triomphé d'une pareille adversité, d'une pareille cruauté, ils sont devenus invincibles, armés d'une force que ceux qui n'ont connu que la facilité et le confort ne peuvent pas deviner ni comprendre. Souffrir d'une discrimination peut être le ferment d'une implacable détermination.)

Emmanuel M. me fait savoir que, s'il a aimé le portrait, s'il l'a trouvé « juste et bien écrit », il regrette cette surexposition de son épouse. Je lui réponds qu'il ne peut pas dicter leur conduite aux journaux. Et que, tant qu'à être exposé, mieux vaut un portrait «juste» que les choses fantaisistes, inexactes, inélégantes ou carrément diffamatoires qui circulent, envahissant jusqu'aux colonnes des magazines réputés sérieux. Il finit par en convenir. Aussitôt notre conversation achevée, je ne peux m'empêcher de me demander quelle est la part de la sincérité et celle de l'éventuelle duplicité dans sa requête puis son abdication.

Plus généralement, je songe à son ambivalence, celle que la presse lui impose ainsi que celle qu'il manifeste lui-même.

Commençons par la presse. C'est elle qui choisit ses sujets et, clairement, le couple Macron en est un. Il *fait vendre* (et, en ces temps de disette, traiter le sujet vendeur est devenu une nécessité économique, un geste de survie). Emmanuel M. voudrait ne parler que du fond? Il se retrouve en photo à la plage, en maillot de bain, au côté de sa femme. Il préférerait occuper uniquement la rubrique politique? Il aura droit en plus à la rubrique people, que ça lui plaise ou non. Il n'y peut rien. Mieux: comment s'y opposerait-il? Pour autant, est-ce si choquant? Pas nécessairement, puisque les Français éprouvent le besoin de connaître la personne qui accompagne celui ou celle qui aspire aux plus hautes fonctions.

Par ailleurs, un peu de glamour n'a jamais nui. Enfin, s'intéresser à la politique ne doit pas forcément détourner de la romance.

Et lui, oui lui, est-il, en réalité, aussi hostile qu'il le laisse entendre à cette exposition? Je n'oublie pas qu'il est un enfant de la modernité, donc de l'offrande de soi, de la transparence. Jadis, on se cachait, on ne montrait que ce qu'on voulait bien montrer, on contrôlait le flux, s'il le fallait on inventait des mensonges plus beaux que la vérité. Ce temps est révolu. Il en prend acte, ayant parfaitement intégré les règles du jeu. Et s'arrange pour en obtenir le meilleur, plutôt que le pire. C'est d'ailleurs dans ce but, je suppose, que le couple s'est adjoint les services de Michèle Marchand, dite Mimi, que d'aucuns dépeignent comme la «dealeuse» de la presse people, la prêtresse des paparazzi. Elle est censée leur assurer un meilleur contrôle de leur image. Dans les parages, je relève aussi la présence de Sébastien Valiela, celui qui a dévoilé l'existence de Mazarine Pingeot et les infidélités casquées de François Hollande. Car, n'est-ce pas, il vaut mieux des photos posées que volées. Après tout, Emmanuel M. ne serait pas le premier à instrumentaliser les médias.

D'ailleurs, ce mois de septembre 2016 nous en offre des images, en veux-tu, en voilà.

Comme des instantanés, des Polaroid, des cartes postales.

D'abord, c'est « Emmanuel M. au Salon de la coiffure ». Il se fait tailler la barbe. Franchement, je trouve ça malin. Tous les autres candidats de droite et de gauche ont défilé à ce Salon. Il n'en est resté aucune trace. Parce que tous se sont contentés d'arpenter les allées, comme ils le font à chaque fois, ont fait mine de s'intéresser à ce que leur racontaient leurs interlocuteurs, avec un air concentré, la tête qui dodeline et le regard absent. Pas un n'a songé à avoir recours aux services de ces professionnels. Lui, si. Et il pousse le talent jusqu'à choisir non pas de se faire couper les cheveux, mais de se mettre entre les mains expertes et dangereuses d'un barbier. Le voici installé dans un fauteuil de cuir, la tête basculée en arrière, les joues recouvertes de mousse, soumis à un figaro maniant adroitement la lame. Le coup de com' est imparable.

Ensuite on a droit à « Emmanuel M. en compagnie du dalaï-lama ». Là encore, c'est assez fort. Les autres n'ont pas eu droit à pareil tête-à-tête : soit ils l'ont refusé pour ne pas froisser la Chine, soit ils ont essuyé un refus, soit (et c'est le plus probable) ils n'y ont même pas songé. Il me dit : « Je savais que les Chinois allaient faire la gueule. Mais ce n'est pas la

première fois que je les froissais. Ministre
de l'Économie, je les ai parfois combattus. De
toute façon, je n'obéis pas à la tyrannie de la
pensée. Et puis, j'ai rencontré un responsable
religieux, qui tient un discours abstrait aux
harmoniques très contemporaines, d'un grand
humanisme mais pas béat, très préoccupé du
dialogue interreligieux. C'est aussi un homme
très jovial, très tactile. »

Puis c'est « Emmanuel M. à Rennes avec des
éleveurs en colère » (à regarder les journaux
télévisés, on se demande s'il subsiste des éleveurs qui ne le seraient pas, en colère). L'un
d'entre eux crie : « Il y en a assez des mensonges,
on est en train de crever ! » L'ancien ministre
s'approche délibérément, croise les bras, prend
le temps d'écouter mais ne sombre pas dans la
démagogie facile : « Je ne vais pas proposer des
solutions miracles qui n'existent pas. » Je songe
qu'il faut un peu de cran (d'inconscience ?)
pour ne pas dire aux gens ce qu'ils ont envie
d'entendre.

Peu à peu, il installe sa candidature. Les sondages qui se multiplient sont toujours flatteurs,
et contribuent à la crédibiliser. Je lui demande
comment il les reçoit : « Comme un bon élément. Mais j'essaie de tout accueillir avec
calme. Le problème, c'est s'ils se retournent.

La clé, c'est de savoir tenir dans les moments
de retournement. » Il s'efforce de rester lucide
et dissèque froidement l'accueil favorable qu'il
reçoit dans ses déplacements : « Il y a beaucoup
de facteurs exogènes : les gens m'ont vu à la
télé, ils ont de la curiosité pour la nouveauté
que je représente, ils me perçoivent comme
hors-sol. Mais c'est superficiel, c'est la surface.
Ce qui compte, ce qui compte vraiment, c'est
ce qui imprègne. Je crois que les gens me font
crédit d'un certain courage et d'une certaine
sincérité. Je n'ai pas le droit de mentir. J'ai un
devoir de clarté, d'honnêteté. »

Cependant tout ne se passe pas toujours
comme on l'imagine. Des déconvenues sur-
gissent, et parfois elles proviennent de là où il
s'y attend le moins. L'entretien donné au *Figaro*
par Henry Hermand (lequel décédera deux
mois plus tard de sa belle mort), généralement
présenté comme le mentor en politique d'Emmanuel M., et même comme son protecteur,
représente, de ce point de vue, un coup de dague
inopiné. L'homme y va à la sulfateuse, sans
qu'on sache s'il s'agit de la parole incontrôlée
d'un vieillard ou de la petite vengeance d'un
ami qu'on aurait éloigné du premier cercle. Le
ton paternaliste qu'il emploie infantilise en tout
cas l'ancien ministre. Ses prétendues révélations

soulignent une carence en culture historique et le présentent comme un quasi-puceau qui n'aurait connu que les bras de son épouse. Les conseils qu'il prodigue publiquement auraient dû demeurer entre les seuls intéressés. Emmanuel M. a déjà beaucoup d'ennemis. Pas sûr qu'il apprécie de devoir se méfier aussi de ses amis.

Les coups pleuvent également du côté de l'Élysée, où l'on a flairé le danger. Car si la candidature Macron s'installe dans les esprits, alors celle de François Hollande, qui ne semble déjà pas ouvrir la voie à un triomphe, deviendra inutile et même périlleuse pour son camp. Pas question de laisser distiller cette affreuse petite musique. Un colloque à Lyon est l'occasion de montrer ses muscles. Des désistements de personnalités sont ordonnés par le Château, sous prétexte qu'Emmanuel M. est l'invité d'honneur de la manifestation. En retour, l'intéressé balance un tacle bien senti : « Les grands partis politiques, c'est comme l'amicale des boulistes. Mais sans l'amitié, et sans les boules. » Il a le sens de la formule. C'est quasiment du Michel Audiard (il faut dire qu'il révère l'auteur des *Tontons flingueurs*).

On sent de toute façon que ces deux-là, Emmanuel M. et François H., vont se livrer une guerre sans merci, sous la forme d'un poker menteur. Car pour avoir une chance de l'emporter (pour l'un comme pour l'autre), il faut très probablement qu'il n'en reste qu'un. Il faut donc que chacun empêche l'autre d'y aller.

C'est une des premières questions que je lui pose quand nous nous retrouvons fin septembre rue Cler, dans son nouveau domicile, un appartement spartiate, fonctionnel (de passage?), situé au septième étage d'un immeuble sans charme, mais qui offre une vue imprenable sur les toits de Paris. Il répond sans détour : «Si j'ai une dynamique suffisante, sa candidature devient secondaire.» J'en profite pour lui demander quand il se déclarera candidat. D'abord, il sourit : «Il faut gérer le désir.» Puis redevient sérieux : «Il faut aussi que je sois totalement prêt dans ma tête. Ça doit s'imposer comme une évidence.»

Dès lors, il se confie sur son état d'esprit : «Le plus difficile, c'est de trouver l'équilibre entre la lucidité et une volonté qui ne laisse aucune part au doute... Si je manifeste le moindre doute, je suis mort...»

C'est quoi, la lucidité? Il répond : «Tout ce qu'on fait est inédit... Ça peut se déliter à une vitesse folle, j'en ai conscience. Il y aurait beaucoup de raisons objectives pour que cette tentative échoue. Mais ça ne me décourage pas, au contraire ça décuple mon énergie...»

C'est quoi, la volonté? D'abord, il évoque les commentaires qu'il provoque dans la sphère politique : «Chaque jour, des gens disent du mal de moi. Je ne dois rien répondre, rien montrer en retour. Je dois leur offrir le visage impavide de saint Sébastien chez les primitifs italiens, le visage de la *Pietà*. Rien ne doit transparaître...» Ensuite, il revient à son entreprise : «C'est Hernani. Une force qui va.» Je lui fais remarquer que cela ferait un bon titre pour le livre qu'il doit publier dans quelques semaines. Il sourit.

(Je retiens cette référence – *Hernani* –, me souvenant que, dans la préface de la pièce de théâtre, Victor Hugo expose qu'il convient de briser les règles du théâtre classique et d'affirmer l'ambition esthétique de la nouvelle génération, le romantisme. Il demande aussi qu'on s'adresse au public, donc au peuple, le seul habilité à assurer aux œuvres leur postérité. Tout est là.)

Je lui demande d'évaluer les forces en présence. Il semble penser que Sarkozy va emporter la primaire de la droite. La faute à Juppé, selon lui. «Tu as des candidats en mode avion pleins gaz et d'autres en mode planeur.

Juppé est déjà en mode planeur, il perdra. Hollande dans sa campagne de 2012, dès janvier, il était passé en mode planeur. Si les vents porteurs faiblissent, tu finis par atterrir ou te crasher. L'antisarkozysme est un courant ascendant occasionnel mais ça n'est pas suffisant. Moi, je devrai être en mode avion pleins gaz jusqu'au bout. »

La défaite éventuelle de Juppé à la primaire ne le chagrinerait pas : « Ce sera plus facile d'aller débaucher des gens de droite si Sarko est désigné. Et moi, j'aurai besoin de construire une majorité législative si je l'emporte. J'y pense déjà. Bien obligé. » Pas mal pour un type qui affirme ne pas savoir s'il sera candidat...

Il ne parle jamais de la gauche, ni de celle de Montebourg, ni de celle de Mélenchon. Comme si elle avait déjà cessé d'exister, pour lui.

Je l'amène enfin sur la question du rapport des intellectuels avec la politique et avec cette campagne en particulier. Il se montre sans pitié : « Ils répugnent à s'engager, c'est décevant. Ils deviennent des belles âmes, des figures éthérées. Tu comprends, ils appartiennent à des générations qui n'ont jamais pris les armes. »

Tandis qu'il me raccompagne, je me rends compte que, depuis notre dernière entrevue, il a gagné en détermination, en clarté aussi, en gravité surtout. En me saluant, il me dit (sans que ni sa voix ni son visage trahissent la moindre inquiétude) : «Tu sais ce que tu vas écrire?» Je lui réponds : «Un roman d'aventures.» Avant d'ajouter : «Au moins le roman d'une aventure.» Il sourit, de ce sourire qui dévoile les dents du bonheur. Quand je retrouve l'air chaud de la rue, je suis plus convaincu qu'en arrivant. Je crois que son *truc* (c'est le mot qui me vient) n'est plus tout à fait impossible.

Je songe – réflexe d'auteur – à ce que je vais conserver par écrit de notre conversation. La question que je me pose n'est pas celle de l'objectivité, je ne prétends à aucune objectivité, je me fous de l'objectivité, je ne suis pas journaliste, ni greffier. Non, la question, c'est celle de l'aveuglement, de l'embrigadement malgré soi. Je sais parfaitement que le risque existe que je cède à la séduction, que je sois instrumentalisé, voire manipulé. Peut-être se contente-t-il de me faire travailler à sa propre gloire. Chercherai-je à m'en défendre, en l'égratignant ici ou là? Me laisserai-je faire quelquefois? souvent?

Je n'ai pas confié à mes amis, à mes proches que je m'étais attelé à l'écriture de ce livre.

Non par peur de leurs réactions (oserai-je dire qu'elles ne m'importeraient pas ? – l'écriture est une occupation qui ne procède que de soi) mais pour ne pas devoir me taire face à leurs interrogations légitimes : car j'ai promis à Emmanuel M. que le contenu de nos conversations ne serait révélé entièrement ou partiellement que longtemps après la fin de l'aventure. Je ne peux espérer libérer (un peu) sa parole ou l'amener à se pencher sur ce qui advient qu'au prix d'un secret momentané.

Octobre

Je continue de l'observer, mais cette fois de loin. Il m'a proposé de venir à Strasbourg, où il tient meeting, et j'ai refusé. Je connais la ferveur fabriquée de ce genre de rassemblements, je me méfie de l'enthousiasme excessif d'une foule de supporters, je sais qu'ils ne signifient pas forcément quelque chose. Et puis j'ai déjà vu Emmanuel M., c'était à la Mutualité, en juillet dernier. En regardant les images à la télévision, je constate qu'il a conservé le même dispositif scénique : il se tient au milieu de l'assistance sur une scène blanche en forme de carré, autour de lui des prompteurs, « à l'américaine », pas de pupitre, il déambule à

360 degrés, il s'adresse aux gens massés là. Sur le fond, il livre un diagnostic et avance quelques propositions. Le diagnostic : une «démocratie confisquée» par des professionnels de la politique inamovibles, issus le plus souvent de la fonction publique, un «déficit de représentativité». Les premières pistes : faire émerger des candidats de la société civile, introduire de la proportionnelle, fabriquer des coalitions de conviction plutôt que des coalitions d'appareil, limiter les mandats. Et il se pose en alternative aux extrêmes. Les bases d'une recomposition du paysage politique sont jetées.

Par ailleurs, il attaque, sans le nommer, Nicolas Sarkozy («Comment peut-on imaginer se présenter devant les Français quand on a délibérément dépassé le plafond des dépenses autorisées pour sa campagne?»). Et plante une banderille dans la nuque d'Alain Juppé («Comment peut-on imaginer sérieusement commander à la destinée du pays quand sa probité personnelle est en cause?»). Phrase étonnamment prémonitoire, et qui expliquera, pour partie, la chute de Fillon quelques mois plus tard.

Quoi qu'il en soit, à travers cet exercice obligé de la confrontation avec les militants, je retrouve Emmanuel M. tel qu'en lui-même : il est un enfant de la fin des idéologies mais croit en l'action politique, il est au cœur d'une endogamie mais tente de s'en libérer, il nomme les choses pour s'efforcer de les régler, il entre en résonance avec un pays qui aspire au changement, il entend incarner le contraire de l'impuissance, le contraire du fatalisme. Mais surtout une impression forte surnage : il est ambitieux et il a l'âge de son ambition, cela peut faire la différence.

Reste l'ambiguïté fondamentale : en proclamant la faillite du sempiternel et stérile affrontement gauche-droite, il suscite une espérance, il répond à une aspiration profonde, mais comment s'y prend-il pour concilier concrètement ces deux inconscients collectifs, ces deux hémisphères qui structurent la société française depuis la naissance de la République ?

Sa chance ? La France, même si elle s'en défend, croit encore (la pauvre ?) aux hommes providentiels.

Et puis, comme dans toute campagne, il y a des faux plats, ces moments où l'on ne progresse plus malgré les efforts, où l'on imprime moins en dépit d'une activité démultipliée. C'est ce qui se produit quand les leaders de la droite républicaine envahissent l'écran. Soudain, on ne voit plus qu'eux. Leur primaire se profile, il faut les mettre en devanture. Dans les émissions, il n'y en a que pour Juppé, Sarkozy, Le Maire et consorts, qu'ils déroulent un programme comme chez David Pujadas ou dévoilent leurs états d'âme comme chez Karine Le Marchand. Du coup, Emmanuel M. disparaît, il n'est plus repéré par les radars. Question : disparaître (même temporairement), est-ce périr ? Lui qui a beaucoup capitalisé sur son image, sa présence, court ce risque. Comment le conjurera-t-il ?

Il y a aussi cette rumeur insistante qui circule dans Paris (et ailleurs ?) : celle de son homosexualité. Pourtant, rien ne vient la corroborer. Aucun fait, aucun témoignage, aucune photo. (Moi-même qui fréquente l'accusé depuis pas mal de temps et qui me flatte de posséder un radar infaillible, je serais bien en peine de déceler la moindre parcelle de vérité dans cette légende urbaine.) Mais elle persiste, relayée par les réseaux sociaux et les dîners en ville, s'incruste, finit par devenir une certitude, y compris chez certains de mes amis dont je connais la bonne foi (à ceux-là, j'explique, à la fois rigolard et désolé, que le prétendu gay planqué est tragiquement hétéro, et que j'en mettrais ma main à couper). Je cherche à comprendre comment une telle rumeur a pu germer, prospérer et, au fond, je ne trouve qu'une explication, la pire, car elle n'est que l'avatar d'un cliché imbécile : un jeune homme délicat marié à une dame beaucoup plus âgée est soit gigolo soit inverti. Et comme on ne peut pas le traiter de gigolo...

(Tout de même, homophobie et misogynie se combinent dans la naissance de cette rumeur. Car que faut-il comprendre ? Que l'on se sert d'une homosexualité présumée pour le disqualifier : donc on considère qu'être homosexuel vous interdit d'être président de la République. Ensuite qu'une femme ayant vingt ans de plus que son compagnon doit être brocardée : et ce sont des décennies de combat féministe qui s'effondrent.)

Mauvaise passe, suite. Le deuxième rassemblement organisé au Mans confine au ratage. Salle assise, éclairage sombre, mollesse générale, notables de province et jeunes gens bien peignés. Emmanuel M. fait trop long sur le diagnostic (on a compris, on n'est pas idiots). Son exposé des «sujets du quotidien» a un côté Sciences Po. Sa voix est mal placée. Le tout manque d'énergie, de ferveur. Mais le plus grave est ailleurs : notre homme s'adresse à l'intelligence (c'est respectable), pas au cœur (ce n'est pas un gros mot). Il a intérêt à changer de registre et de braquet, là. Aucun comptable n'a jamais été un héros d'aventures.

Je le mouche : « Tu m'as dit : il faut faire monter le désir. Là, on débandait plutôt. » Il me répond aussitôt : « La règle entre nous doit toujours être de se dire les choses. C'est pour ça que je vis avec Brigitte, sinon je serais déjà mort ! Et je suis un lucide insatisfait. Là, c'était une longue explication que j'assume pleinement et pas un meeting. Je dois poser les choses une fois pour toutes. L'objectif n'est pas de perpétuer cela. Je veux commencer une nouvelle écriture de mes discours avec plus de tripes, d'émotion et en partant d'exemples concrets. Il y a quelque chose à inventer. »

Je songe : combien d'hommes politiques auraient répondu ainsi ? Tous les autres ne m'auraient-ils pas renvoyé à mes chères études ?

Quelques jours plus tard, dans la presse, Emmanuel M. règle son compte au président de la République en exercice : « *François Hollande ne croit pas au président jupitérien. Il considère que le président est devenu un émetteur comme un autre dans la sphère politico-médiatique. Pour ma part, je ne crois pas au président normal. Les Français n'attendent pas cela. Au contraire, un tel concept les déstabilise,*

les insécurise. Pour moi, la fonction présiden-
tielle dans la France démocratique contemporaine
doit être exercée par quelqu'un qui, sans estimer
être la source de toute chose, doit conduire la
société à force de convictions, d'actions et
donner un sens clair à sa démarche. Quand le
président devient "normal", nous courons un
risque politique et institutionnel, mais aussi un
risque psychologique collectif, et même un risque
pour l'efficacité de l'action. Le peuple français,
collectif et politique, peut se retourner très vite
parce qu'il est en attente d'un discours qui donne
à la fois du sens et des perspectives. » Je retrouve
le souffle.

Question : cette exécution en règle vise-t-elle
à dissuader le chef de l'État de se représenter
afin de lui laisser un champ plus libre ? Ou, au
contraire, parce qu'elle est vexante, l'encou-
rage-t-elle à se soumettre à nouveau au suffrage
des Français, parce que lui, Emmanuel M.,
estime que ce serait sa meilleure chance de
se frayer un chemin jusqu'au deuxième tour ?

À moins qu'il n'ait souhaité tordre le coup
à la rumeur selon laquelle il ne serait qu'un
poisson-pilote de Hollande, un allié avançant
masqué.

Mais peut-être, après tout, n'est-ce qu'une
façon de dire quel président il serait ? L'homme

a une parfaite compréhension de l'inconscient monarchique français. Il sait aussi qu'on a intérêt à se présenter comme l'antithèse de celui, honni, qu'on prétend remplacer.

Le 18 octobre, Emmanuel M. doit prononcer un discours à Montpellier centré autour du « vivre-ensemble ». L'avant-veille, il m'expose ce qu'il compte mettre en avant. (Mon opinion l'intéresse-t-elle ou m'associe-t-il mécaniquement à la chose écrite ?) Je suis frappé de constater à quel point son propos tourne autour de la question de l'islam et autour de celle du terrorisme. Je lui dis : « Et la France éternelle dans tout ça ? » La France des Celtes, mélangés aux Latins et aux Germains, la France des écoles et des églises, la France mosaïque qui déclare les droits de l'homme, la France des Lumières et de la Résistance, elle n'apparaît nulle part. Il en convient.

J'ajoute : « Tu regrettes que la classe politique passe son temps à regretter les fragilités de la France. Mais quand pointes-tu ses atouts ? » Une démographie dynamique, une longue pratique du métissage, un patrimoine culturel inégalé, de puissantes entreprises, des services publics enviés par tous. Nous sommes aussi une puissance militaire, une puissance culturelle, un berceau d'innovation et un endroit sur terre où il fait meilleur vivre qu'ailleurs. Il faut le dire. Il entend mon argument, je crois.

Ce qui me frappe au fond dans son oubli, c'est de constater à quel point même son esprit, supposément libre et agile, est pollué quelquefois par le discours dominant. Les questions de diversité ont été confisquées au profit d'un débat hystérique sur l'identité. Et on ne parle plus de la France que comme d'un pays au bord de l'effondrement.

En ayant avec lui cette conversation, je me rends compte que j'ai abdiqué ma neutralité (si j'en ai jamais eu). Je me rends compte que j'ai envie qu'il y arrive. Pour la France ou pour mon livre ?

J'ai écouté le discours de Montpellier. La France éternelle n'y figure pas. En revanche, les atouts de la Nation ont été mis en avant. Nouveauté : Emmanuel M. a parlé derrière un pupitre. Je suppose qu'une certaine solennité devait accompagner son propos et le pupitre la renforce. La solennité lui va plutôt bien. Son personnage se construit.

Alors que la Toussaint approche, les sondages toutefois ne sont plus aussi flamboyants.

Pour faire vite, Emmanuel M. glisse d'environ cinq points dans les intentions de vote au premier tour. Cette glissade a deux conséquences : d'abord, elle le renvoie au milieu des autres « candidats secondaires » et lui fait donc perdre sa spécificité, sa distinction, la possibilité qu'il incarne une surprise ; ensuite, elle déclenche les commentaires acerbes qui vont de « C'est la fin du mirage » à « Je vous l'avais bien dit ». Il m'avait expliqué : « Il faudra tenir quand les courbes partiront à la baisse. » Nous y sommes. Quelle sera sa réaction ? Temporiser, courber l'échine, attendre que passe ce premier coup de semonce, continuer comme si de rien n'était, ne pas dévier, laisser entendre que les sondages ne gouvernent pas ? Ou, au contraire, se dévoiler enfin, accélérer le pas, fournir des éléments de son projet, laisser entrevoir davantage sa candidature pour la rendre inexorable ? Ou encore s'efforcer de retrouver la magie des commencements, ce mélange d'audace et de modernité, l'entorse aux règles établies (publiques et privées) ? Ou enfin taper sur les autres, pour se faire entendre (jusqu'à présent, il a économisé ses flèches) ? Je n'ai pas de conseils à lui donner mais à sa place, il me semble que je montrerais que « j'en ai ».

Bertrand Delanoë, que je connais depuis près de quinze ans, me livre son opinion sur Emmanuel M. : «S'il prétend incarner le camp du progrès, il ne faudrait pas qu'il oublie le progrès social.» Sur un plan plus tactique, il ajoute : «Il doit démontrer qu'il possède un sens politique. Pour l'instant, je reste sur ma faim.» Pour finir, il lui laisse une chance : «Sa force, c'est qu'on n'a pas envie de voter pour les autres.»

Je rapporte à l'intéressé ces propos critiques qui ne sont pas non plus totalement dénués d'affection. S'ensuit une conversation entre lui et moi :

«Donc je ne suis pas un cas désespéré... Pas encore... (Sourire.)

— Non, mais il faut se bouger, quoi.

— Je n'arrête pas !

— Je vois bien. Mais est-ce que ça imprime ? Tes atouts sont la sincérité et la transgression. Ces dernières semaines, tu as livré des discours, certes intelligents, ce n'est pas la même chose...

— Je devais en passer par là. Désormais les gens ne peuvent plus dire : "On ne sait pas ce qu'il pense", ce qui était le cas il y a un mois...

— Les meetings ne sont pas forcément le meilleur moyen de faire passer ton message. Ils te font ressembler aux autres, ça dégage une impression de déjà-vu.

— Le livre que je vais publier finira le travail en répondant à : "Qui je suis". Alors resteront deux questions : "Est-il candidat ? Qu'est-ce qu'il propose ?"

— Tu peux ajouter la question du timing, qui n'est pas négligeable. Et tu vas proposer quoi ?

— Je crois à une idée simple et forte : "vivre de son travail". J'y mets beaucoup de choses.

— À la première écoute, oui, c'est pas mal. Mais ça semble écarter tous les précaires, les chômeurs (même si j'ai bien compris que l'idée, c'est justement de les ramener vers le travail). Pourquoi pas : "Pouvoir vivre de son travail" ?

— Mieux, oui. On va tester. En tout cas, j'assume de reprendre le travail comme élément central d'une campagne. »

Fin octobre. J'ai rendez-vous avec lui au quartier général d'En Marche !, situé au quatorzième étage de la tour Montparnasse. Il faut franchir le barrage filtrant en bas, et quand on arrive à destination, c'est pour constater que ledit QG est voisin des locaux d'Al Jazeera... La personne qui m'accueille me fait traverser l'open space : à première vue, il s'agit d'un repaire de jeunes mâles blancs. Les femmes sont en minorité, les gens de couleur ne sont guère visibles, les messieurs en costume, plus âgés, ont droit à un bureau individuel; pas vraiment révolutionnaire, tout ça. Valérie Lelonge, son assistante, qui me fait patienter, me dit : «Je travaillais avec lui au ministère. L'agenda ici est encore plus compliqué. Mais bon, il est facile à vivre, il ne s'emporte jamais, et il n'a pas pris la grosse tête.»

Emmanuel M. surgit soudain, et avec seulement dix minutes de retard. Sourire conquérant, embrassade chaleureuse. Il me conduit dans son bureau, un espace neutre, sans charme, ayant pour seule particularité d'offrir une vue sur la tour Eiffel. Je songe : voilà un garçon qui aime les vues, décidément, les perspectives, le lointain. Parce que le proche l'intéresse moins ? Là, il me présente Yann L'Hénoret, celui qui désormais le filme pour un documentaire «brut». Il me demande si la caméra me gêne. Je lui retourne la question : il fait aussitôt allusion à Hegel et à sa ruse de la raison. Rappelons que, pour Hegel (dans *La Raison dans l'histoire*), «*c'est la Raison qui gouverne le monde*» : selon lui, «*le monde évolue vers davantage de rationalité, de morale et de liberté. Pourtant, l'histoire montre plutôt l'apparence d'une bousculade d'événements sans cohérence particulière. C'est que la raison agit dans l'histoire par ruse. En effet, chaque individu poussé par la passion, en pensant agir pour son bien propre, œuvre en fait inconsciemment pour une tâche plus élevée, dont la voie est tracée par les grands hommes qui jouent le rôle de conducteurs d'âmes : ainsi la Raison se réalise-t-elle dans l'Histoire».* Voilà une bien noble référence.

Plus prosaïquement, il ajoute : «La vérité, c'est que, si tu acceptes d'être filmé en permanence, tu acceptes que ça t'échappe et tu y consens. Il doit y avoir une alchimie palpable. Si ça n'existe pas, ça ne prendra pas, mon affaire.»

(Plus tard, Yann L'Hénoret me donnera sa version du deal : «Emmanuel Macron m'a reçu avec ses conseillers les plus proches, Brigitte était présente également. Très vite, nous avons parlé des documentaires qu'il avait vus, aimés. J'ai été impressionné par ses références : Raymond Depardon, Yves Jeuland, Serge Moati. Il connaissait *Weiner, Primary, Crisis, War Room,* les classiques. Je lui ai dit mon envie de raconter cette campagne de la façon la plus neutre possible, sans intervenir ni poser de questions. Je lui ai promis que je serais un chat. Il s'est calé au fond de son fauteuil et m'a dit : "J'essaye de faire bouger les lignes en politique, je ne vais pas me montrer conservateur quand on me propose un projet comme celui-ci !" Nous nous sommes serré la main, de cette façon si particulière qu'il a de le faire, en deux temps. Un premier temps tout ce qu'il y a de plus normal, puis un second où il serre un peu plus votre main, en plongeant son regard dans le vôtre, en vous sondant. C'est à ce moment-là que j'ai compris que j'aurais sa confiance. »)

Revenons au quartier général, en ce matin froid d'octobre. Emmanuel M. m'indique qu'il sort juste d'une conversation téléphonique avec Bertrand Delanoë. Je m'enquiers de savoir s'il espère son soutien. Il s'insurge : «Les ralliements, je m'en fiche. Mieux vaut des gens qui font ta campagne activement.» Manière polie de dire que les conversions ne doivent pas être nombreuses... Il ajoute : «Bertrand est un baromètre sans complaisance. J'aime sa bienveillante exigence.» Je lui demande si l'ancien maire de Paris s'est ému de son impatience et du sentiment qu'il dégage de ne pas vouloir s'inscrire dans la durée. Il contre-attaque : «Mais je m'inscris dans la durée ! Ça ne veut pas dire la perpétuité. Je n'ai jamais été jospinien mais j'ai trouvé très digne son départ après l'échec de 2002. On part si on n'y arrive pas.»

Et puis, comme convenu, il accepte de revenir pour moi sur le mois écoulé : «Je devais construire une relation aux gens qui ne soit plus celle que j'avais lorsque j'étais ministre. C'est fait.» Je m'étonne que les Français ne portent pas à son débit sa participation à une politique qu'ils condamnent : « Ils savent que je n'ai jamais été un ambassadeur docile. » Il ajoute : « Mais il est vrai que ce mois d'octobre a été une période curieuse ; une transition. Ça ne pouvait pas continuer avec la même percussion que celle provoquée par ma démission. Disons que ça a été comme une "drôle de guerre". Avant de passer à l'offensive. » Il reconnaît à sa façon le trou d'air.

Il poursuit : « Ensuite, je devais poser les fondements idéologiques du mouvement, ça aussi c'est fait. Même s'il reste des angles morts : l'international, la défense, le social. » Il me semble que ce sont beaucoup plus que des angles morts mais je me garde de m'en ouvrir à lui.

Il continue : « Enfin, je devais structurer le mouvement. » Il m'annonce que les équipes vont déménager du côté de Convention, sous peu, et se déploieront sur 1 000 m² désormais. Sa petite entreprise ne connaît pas la crise.

Il s'enorgueillit que la parité soit « quasiment » respectée parmi les cent délégués dont il s'apprête à annoncer la nomination : « Les femmes civilisent la vie politique. » Il admet que cela ne s'est pas fait naturellement : « Ma culture est une culture mâle, guerrière : dans la banque d'affaires, tu pars au combat, tu

restes tard le soir, tu sacrifies ta vie personnelle, c'est une connerie d'ailleurs, en plus tu
finis par y perdre ton discernement.» Il jure en
être revenu.

Nous poursuivons notre examen du mois qui
s'achève. Je l'interroge sur le jugement de
Juppé («*Macron ? Ni compétent, ni loyal*»). Il
tacle en retour : «Ça traduit une fébrilité. C'est
surjoué. Il a bien compris que je mords sur son
électorat, que j'insécurise ses alliés politiques.
Et puis sa réaction démontre qu'il appartient
décidément au vieux système. On va se rendre
compte qu'il n'a pas d'idées neuves. Au fond,
c'est un technicien, pas un politique.»

Venant d'un type de trente-huit ans, avec
une ancienneté dans le métier de quatre ans, le
propos est savoureux.

Je l'interroge sur les sondages qui vacillent :
«Il y en a un, un seul, qui me met en baisse !
Celui qui m'avait placé le plus haut. Et c'est un
sondage qui ne va pas chercher les indécis. Or
ceux-là peuvent s'intéresser à moi.» On comprend qu'il l'a décortiqué, ce fichu sondage...
«Et puis, je te rappelle que je ne suis toujours
pas candidat ! Je ne suis pas encore en phase de
cristallisation. Pour ce qui est de ma candidature, j'ai fixé un horizon d'attente, décembre;
dans cet espace, je construis ma liberté.»

Il n'entend visiblement pas se laisser dicter son agenda par la pression médiatique.

Je lui demande si néanmoins il pourrait renoncer à se présenter : «Je vois très peu de choses qui feraient que je ne sois pas candidat.»

J'embraye sur *Une ambition intime*, l'émission de Karine Le Marchand, à laquelle il a refusé de participer : «Je ne cache pas ma vie privée mais je ne l'exhibe pas non plus. Ce programme relève de la téléréalité, pas de la politique. Il présente un intérêt voyeuriste mais il n'éveille aucune conscience citoyenne. Moi, je veux montrer un engagement. Et si tu acceptes ça, difficile, après, de remettre de la verticalité. Et puis, la période est empreinte de gravité !»

J'en viens naturellement aux confessions de François Hollande contenues dans le livre de Davet et Lhomme. «Rien ne me surprend vraiment dans les propos rapportés, je connais bien l'homme, je connais ses défauts. Pour autant, il ne mérite pas autant d'opprobre, et la meute, c'est détestable.» Il tente une défense du président de la République : «Il faut lui reconnaître qu'il a une certaine idée de la France. Il a pris des décisions fortes au cours de son mandat. Sa diplomatie, son rapport à l'institution judiciaire, tout cela, c'est exempt

de reproches. Le jugement qu'on porte sur lui
est injuste. » Cela étant, la défense trouve vite
des limites : « Je vois bien que cette injustice est
nourrie par sa propre maladresse. Il y a eu des
paroles malheureuses. Plus généralement une
incapacité à expliquer. » Et d'enfoncer une première banderille : « Au fond, François Hollande
est un nihiliste et c'est ça qui apparaît. Chez lui,
pas de mystère, pas de verticalité, tout se vaut. »
Avant de planter un harpon peut-être mortel :
« Je pense qu'il devrait renoncer à se présenter.
Pour lui. Pour le pays. »

Je rebondis : « Et s'il n'est pas candidat, cela
change quelque chose pour toi ? » La sentence
tombe : « Que ce soit lui ou un autre, ça ne
change rien à mon choix, à ma détermination,
à mon parcours. » En gros : je prendrai celui
que les circonstances me donneront. Au passage : aucun ne me fait peur.

Je me souviens qu'il a appelé son mouvement : En Marche ! et que cette injonction est
tirée de *Vol de nuit*, le roman de Saint-
Exupéry : « *Dans la vie, il n'y a pas de solutions.
Il y a des forces en marche : il faut les créer et les
solutions suivent.* » (D'aucuns avaient également relevé à l'époque que le mouvement
portait ses initiales. Un peu de mégalomanie ?)

Je lui lance : « Alors, justement, quelles sont
les prochaines étapes ? » Il dit : « Mon défi,

c'est de renouveler l'engagement, de rendre la politique plus attrayante, et de remettre de la gravité. Ce n'est pas contradictoire.» Finalement, il résume : «Il faut être de son temps et avoir conscience du tragique de l'Histoire.» Me revient la phrase de Voltaire : «*Il n'y a point de grand conquérant qui ne soit grand politique.*»

Je songe : Emmanuel M. est un enfant de la crise. Il n'a jamais connu la croissance, jamais la prospérité. Il est né après les Trente Glorieuses. Il a grandi dans le chômage de masse, la précarisation galopante. Il a vu la France perdre peu à peu son rang de puissance de premier plan et s'accrocher à ce souvenir flatteur. Il ne sait rien d'un pays qui irait bien, d'une nation optimiste. Cela explique, en grande partie, son état d'esprit.

Mais dans le même temps, Emmanuel M. n'est pas un enfant de la guerre. Il a toujours connu la paix, il ne sait rien des cendres fumantes, des lentes reconstructions, d'une mémoire honteuse qui rejaillit sporadiquement. Il a toujours connu l'Europe, la perspective d'un continent. Que perçoit-il au juste du «tragique de l'Histoire»? Quel sens lui donne-t-il?

Novembre

Il accepte de participer à un jeu (filmé) de questions-réponses avec les journalistes de *Mediapart*, dans les locaux du journal. Je le reconnais bien là, dans cette volonté de se montrer où on ne l'attend pas, de dialoguer avec des esprits présumés hostiles à ce qu'il incarne, de chercher la contradiction en espérant convaincre et en démontrant que rien ne l'effraie. Il se débrouille plutôt pas mal dans l'exercice.

(Il me semble, du reste, qu'il s'agit là d'une caractéristique saillante chez lui : il est meilleur dans le débat que dans l'exposé. Curieusement, il est plus à l'aise avec les vents de face qu'avec les vents porteurs.)

Pendant ce temps, la gauche continue de couler et la droite s'écharpe sur les plateaux de télévision. Il suffirait presque de ne rien faire pour engranger. Après tout, Marine Le Pen n'a-t-elle pas construit son socle électoral dans ce rôle de spectatrice goguenarde de l'effondrement des partis traditionnels ?

5 novembre. Emmanuel M. m'envoie le manuscrit de son livre à paraître. Il m'avait fait cette proposition lors de notre dernière rencontre. Je l'avais acceptée, friand de « savoir

avant les autres» mais conscient qu'il s'agissait d'un pas supplémentaire dans la complicité.

Il accompagne son envoi du message suivant :

«Mon cher Philippe, voici le manuscrit. Il manque encore des éléments. Mais j'aimerais ton avis général et sans concession par rapport aux attentes, ainsi que toutes tes propositions de lissage/simplification/réécriture. Je t'embrasse et évidemment garde cela pour toi.»

Je feuillette les premières pages à la recherche de l'information que tout le monde attend. Elle y figure : il est candidat.

Le lendemain, j'achève ma lecture. L'ouvrage est intelligent, sérieux, bien construit, il ouvre des pistes d'avenir, dessine une ambition, contient quelques propositions iconoclastes, mais il n'est pas réellement à la hauteur du big bang qu'il appelle de ses vœux, il reste globalement lisse. Et surtout, il est assez désincarné. Où est l'émotion? Où est la sensibilité? Question : Emmanuel M. est-il un monstre froid, ou se corsète-t-il pour dissimuler ses émotions, ses brèches? Il y a chez lui quelque chose du Jospin qui n'a jamais fendu l'armure.

(Emmanuel M. a confié, que, dans sa prime jeunesse, il avait l'ambition de devenir écrivain.

Son rêve, c'était l'écriture. Pas la finance. Pas la politique. Pas le pouvoir. L'écriture. Il a, du reste, « commis » quelques romans dont les manuscrits dorment dans un tiroir, et que sa femme a lus et jugés, semble-t-il, prometteurs mais inaboutis. S'il avait persévéré, il ne serait sans doute pas engagé aujourd'hui dans cette course folle. S'il n'a pas persévéré, c'est sans doute qu'il n'était pas écrivain.)

Quelques jours plus tard, je m'étonne auprès de Brigitte M. que le manuscrit n'ait toujours pas été remis à l'éditeur. Avec son sens de la formule, elle me fournit une explication : « Il ne faut pas se tromper : à ce niveau-là, il ne s'agit plus d'un accouchement dans la douleur mais carrément d'une rétention de fœtus. »
Ce qui renvoie à la réflexion précédente.

Le livre, encore. Emmanuel M., qui sait mon amitié ancienne pour Bertrand Delanoë, me demande si ce dernier pourrait accepter de le lire et de formuler une opinion. J'en avise aussitôt Bertrand qui accueille favorablement la proposition. Plus tard, il me dira : « C'est vraiment un texte de haut niveau. Et beaucoup plus à gauche que je ne le pensais. Il n'y manque que des références à Mitterrand. D'ailleurs, tu sais que Macron me fait penser au

Mitterrand de la Convention des institutions républicaines, le Mitterrand d'avant la conquête du PS. Pour moi, il s'agit d'un compliment.» Visiblement, il est séduit, convaincu. Je fais passer le message à Emmanuel M. : «Tu n'as pas (encore) son soutien mais tu as (déjà) son attention.»

Nous voici bientôt mi-novembre. Certains journaux prédisent une accélération du calendrier et prêtent à Emmanuel M. l'intention imminente d'annoncer sa candidature. Il s'inviterait ainsi dans le débat de la primaire de la droite comme un chien débarque dans un jeu de quilles et couperait l'herbe sous le pied d'Alain Juppé, lequel apparaîtrait soudain classique et vieillissant (ne l'est-il pas déjà?). Peut-être. Je n'en sais rien. Je ne pose pas la question à l'intéressé, alors qu'il me serait facile de le faire. De fait, je m'emploie à me tenir à bonne distance et à ne pas plonger dans la tambouille journalistique. Pour autant, je n'y crois guère. Il me semble que ce serait une faute de dévoiler une décision aussi lourde seulement en fonction de considérations tactiques. Et à quoi servirait le livre, dans ce cas? Il serait presque mort-né, le «secret» qu'il contient étant éventé deux semaines à l'avance.

Mais, dans cette campagne où, de toute façon, l'imprévu commandera, rien n'est impossible.

Au même moment, l'inénarrable Alain Minc prédit l'échec d'Emmanuel M. Je me demande toujours pourquoi on sollicite autant l'avis d'un homme qui s'est presque toujours trompé et qui a enchaîné les échecs avec une régularité exemplaire. Un homme qui, par ailleurs, n'a cessé de tourner casaque. Aujourd'hui, il soutient Alain Juppé (ce qui est une très mauvaise nouvelle pour le maire de Bordeaux). Mais demain, il en soutiendra un autre, si le vent tourne, et nous expliquera qu'il avait tout prévu. Minc, donc, estime qu'Emmanuel M. a fait «*une erreur de calendrier et de positionnement. Il aurait dû aller à la primaire de gauche*» et se présenter comme le nouveau Rocard. Il reproche aussi au pas encore candidat de ne pas avoir de programme présidentiel. Selon lui, «*la politique, c'est un QCM : on répond par oui ou par non à des questions difficiles*». La suite des événements donnera peut-être raison à Minc. Emmanuel M. échouera peut-être; et même probablement. Mais si c'est pour ne pas avoir fait de la politique à la papa, il sera tombé du bon côté de l'Histoire. Car ce que Minc décrit, ce n'est rien d'autre que les années 80.

La lecture des journaux en dit long sur la décomposition de la vie politique. Jusque-là, c'étaient ses adversaires qui tiraient à boulets rouges sur Emmanuel M. et, au fond, quoi de plus normal ? La politique est un combat et, pour l'emporter, il faut bien mettre au tapis ses concurrents. Mais là, c'est autre chose : la presse elle-même distille une petite musique empoisonnée, qui sent la commande. Les exemples les plus récents ? *Le Parisien* qui s'attarde sur « *les petits calculs de Macron* », alors que le quotidien s'efforce de se montrer neutre en général. Mais c'est surtout *Le Monde* qui retient l'attention. Sous couvert d'« enquête », Raphaëlle Bacqué et Ariane Chemin, qu'on a connues plus inspirées, s'étendent longuement sur les rumeurs les plus tenaces (doit-on leur rappeler qu'une rumeur, par essence, ne relève en rien de l'information ?). Emmanuel Macron ? Gay ! Sa femme ? Une intrigante ! C'est pas nous qui le disons, hein, c'est les autres, mais comme les autres le disent, on est bien obligées de le répéter... Fait-il peur à ce point, le petit jeune homme, qu'on se sente obligé d'en revenir aux pratiques du *Crapouillot* ? Dira-t-on bientôt qu'il a travaillé pour des Juifs et que, tout de même, c'est embêtant ?

J'avais tort de ne pas y croire : en ce 16 novembre, Emmanuel M. se jette dans le grand bain et annonce sa candidature à la présidentielle. Pour autant, le reste de mon analyse me semble valable. Les commentaires acerbes qui accompagnent l'information vont, du reste, dans le sens de cette analyse. Pour faire court, on n'adopte pas un comportement «*politicard*» (j'emprunte le terme au député Benoist Apparu) quand l'essentiel est en jeu. Néanmoins, je confesse que le lieu de l'annonce est plutôt bien choisi : la Seine-Saint-Denis, département de banlieue, département populaire, où, jusqu'à présent, nul n'avait songé à se déclarer. Emmanuel M. adresse ainsi à la fois un signe aux déclassés, aux délaissés, aux inquiets, mais aussi à la jeunesse, aux populations issues de l'immigration. C'est son «Je vous ai compris» à lui. Personne ne sachant à qui il s'adresse, tout le monde peut s'en sentir le destinataire. Malin également, le choix d'un centre d'apprentissage, puisqu'il veut mettre le travail et l'éducation au cœur de son projet et briser les tabous (en France, l'apprentissage reste inexplicablement un parent pauvre). En tout cas, ça y est, la fusée est lancée.

Cette déclaration suscite une avalanche de commentaires.

Premier constat : le fait que tant de personnes se sentent obligées de commenter signifie qu'il s'agit donc d'un fait politique majeur et que l'homme constitue une menace pour beaucoup.

Deuxième observation : ces commentaires en disent long sur ceux qui les profèrent.

Plusieurs angles d'attaque.

D'abord, Emmanuel M., créature médiatique. Arnaud Montebourg l'assure : « *C'est le candidat des médias, puisqu'il en est à sa soixante-quinzième une de magazine sans avoir fait une seule proposition.* » Cocasse de la part d'un homme qui n'a pas dévoilé lui-même son programme et qui sanglotait il y a quelques semaines devant les caméras de l'émission *Une ambition intime*.

Ensuite, Emmanuel M. réincarnation de Brutus. Alain Juppé le dézingue : « *Il incarne la trahison de François Hollande, qu'il a poignardé dans le dos.* » Laurent Wauquiez renchérit : « *Ce que Macron a fait à Hollande n'est pas très digne.* » Cocasse, là encore, de la part de personnalités qui passent leur temps à conchier le même François Hollande et se posent désormais en défenseurs offusqués.

Emmanuel M., représentant de l'élite mondialisée. Gilbert Collard (FN) résume : «*Un pur produit de la finance.*» Amusant de la part d'un avocat millionnaire qui a défendu Laurent Gbagbo. Nicolas Dupont-Aignan renchérit : «*Il est la nouvelle marionnette du système financier mondial.*» La théorie du complot n'est pas loin, c'est un bon fonds de commerce, il faut dire.

Emmanuel M., candidat du vide. Pour Marine Le Pen, il est le «*candidat Plexiglas.*»

Enfin, Emmanuel M., caillou dans la chaussure. Jean-Christophe Cambadélis, le patron du PS, le reconnaît benoîtement : «*C'est très embêtant.*»

On reproche au nouveau postulant de condamner la gauche à être absente du second tour de la présidentielle. Mais quel sondage exactement la donnait présente ? Qui n'a pas vu que la gauche s'était hélas autodétruite ? Qui n'a pas compris que nous, électeurs de gauche, étions des égarés, sinon des orphelins ?

Plus tard, ce même jour, je rencontre le désormais candidat officiel. Je le trouve détendu, comme si son annonce le soulageait et le galvanisait en même temps. Cependant, je discerne aussi, dans sa joie, quelque chose de plus extatique, de plus métaphysique peut-être. J'apprendrai qu'après son annonce, il a demandé à passer au pied de la basilique de Saint-Denis, nécropole des rois de France. Je m'interroge sur ce geste, accompli dans la solitude, loin des caméras : en s'approchant de la tombe des Capétiens, est-il venu s'inscrire dans une histoire ? chercher une onction ? s'inventer un destin ? se remémorer que le temps et la mort forment l'essentiel ?

En son nouveau quartier général, l'après-midi, il remercie ceux qui l'accompagnent depuis quelques mois et vont l'accompagner sur le chemin à parcourir. Il les prévient, malicieusement, qu'il n'y aura pas d'autres remerciements mais, inhabituellement senti-mental, il cite Diderot pour faire savoir ce qu'il éprouve à leur endroit, lequel Diderot, écrivant à sa maîtresse Sophie Volland et se trouvant soudain dans le noir, car sa bougie s'était éteinte, poursuivait néanmoins sans savoir ce qui resterait sur le papier : « *Là où il n'y aura rien, lisez que je vous aime.* »

Brigitte, de son côté, entend ne rien changer à son mode de vie. Je lui fais remarquer que les journalistes, les paparazzi vont coller à ses basques, à leurs basques en permanence, dorénavant. Elle insiste, enroulant son bras autour de mes épaules : «Tu crois vraiment qu'on peut me dicter ma conduite?» Je voudrais lui dire que tout vient de basculer, que rien ne pourra plus être comme avant. Je me tais.

Je repère une bonne formule dans l'édito du *Monde* : «*Depuis ses premiers pas en politique, voici moins de cinq ans, d'abord dans la coulisse élyséenne puis en pleine lumière, Emmanuel Macron a eu deux professeurs : François Hollande, Sisyphe heureux cachant sous un inaltérable sourire une détermination à toute épreuve; Manuel Valls et ses audaces transgressives soigneusement calculées. Bon élève, il en a parfaitement retenu les leçons. Excellent élève, il entend dépasser ses maîtres.*»

Il se trouve à Marseille au lendemain de sa fracassante annonce. Il s'étonne que je ne l'y aie pas suivi. Je lui rappelle que je ne suis pas journaliste, ni clerc, que je n'envisage pas d'être le conteur de ses faits et gestes. Il encaisse avec une pirouette : «En fait, tu fais un livre de fiction. C'est pas con.» Je rebondis : «Tu vis le roman que tu n'as pas écrit. Et moi, je l'écris à ta place.» Il sourit encore : «Pas faux.»

Les premiers sondages, postérieurs à l'annonce de la candidature, lui accordent entre 14 et 16% des voix au premier tour, selon la configuration. Bonne nouvelle pour lui : il figure sur le podium. Mauvaise nouvelle : ce score est loin d'être suffisant pour se qualifier au second tour. Disons que, s'il s'agit d'un socle de départ, alors il lui est permis de rêver.

D'ailleurs, il rêve puisqu'il lance : «Ce que nous avons fait était inattendu. Ce qu'il nous reste à faire est fou. C'est pour cela que nous allons réussir.»

Ce qui me frappe, c'est qu'il y croit (alors que, pour être honnête, de mon côté, je fais davantage que douter). D'un strict point de vue littéraire, sa conviction est une aubaine. Car il ne peut être une figure romanesque, celle dont le destin est improbable, que s'il l'emporte à la fin.

Et puis se tient le premier tour de la primaire de la droite. Fillon, auteur d'une incroyable *remontada* dans les derniers jours, vire largement en tête. Il veut y voir un bon augure : «C'est la preuve que l'électorat n'est pas fixé et qu'il y a une grande volatilité, assure-t-il. Et Fillon est celui qui a fait le moins de promesses et obtenu le meilleur score.» Méthode Coué ou espoir sincère ?

Vient la diffusion en *prime time* d'un documentaire qui lui est consacré. Le film s'intitule

La Stratégie du météore et souligne que le météore est «*un corps extraterrestre qui pénètre dans l'atmosphère en créant une traînée de lumière; la plupart des météores sont éphémères et se désagrègent vite mais certains, les plus massifs, peuvent modifier profondément le visage de notre planète.*» Un bon résumé.

Pas sûr néanmoins qu'il en sorte grandi. Ledit film le renvoie à son statut d'énarque, à son passé de banquier, à son rôle de conseiller de François Hollande et à ses passes d'armes de ministre. Ces images risquent d'être contre-productives pour lui et elles sont dépassées. On est aujourd'hui dans une tout autre séquence. Demeure néanmoins l'impression d'une intense détermination. Oui, demeure un regard incroyablement déterminé, qui pourrait presque faire peur. Ou exprimer, mieux que tout discours, son ambition, sa conviction d'être l'homme de la situation.

Au téléphone, Brigitte me lance : «Au moins, on ne pourra plus dire que notre couple est bidon.» Il est exact que le documentaire montre les images de la rencontre, celles du mariage au Touquet, celles de la complicité de tous les instants. En toute logique, cela devrait balayer les doutes que certains distillent complaisamment et qui blessent la compagne de vingt années.

Une connaissance, après visionnage, m'adresse ce message : «Ils sont trop honnêtes. Il faut qu'ils apprennent rapidement que l'honnêteté, ça ne paye pas en politique.»

Son livre sort. Il l'a intitulé *Révolution*. Titre absurde : il n'est pas Che Guevara. Et qui plus est son projet, même s'il brise des tabous, remet en cause des rentes, contient des idées iconoclastes, s'adapte à l'avenir en train de s'écrire, ne conduira pas à un renversement de régime. Décidément, *Une force qui va* était meilleur. Mais je suppose qu'il fallait faire simple, court, percutant : je devine la patte du roué Bernard Fixot, fabricant de best-sellers, derrière un tel choix.

La bonne nouvelle (pour le garçon sensible que je suis, du moins), c'est qu'il a consenti à étoffer la partie dite personnelle, celle où il évoque ses origines, son parcours, son épouse, sa famille. Avant les corrections qu'il a apportées, on aurait dit une notice *Wikipédia*. Désormais, on a le sentiment qu'il se livre un peu. Je l'en félicite. Il me rétorque : «J'ai souffert, si tu savais : je ne suis pas naturellement porté au dévoilement.» Je devine également qu'il n'est pas très adroit pour parler des gens et des choses qui le touchent.

Pour promouvoir l'ouvrage, il fait la tournée des popotes télévisuelles. Il semble découvrir que les journalistes n'écoutent pas les réponses aux questions qu'ils posent, ne laissent de toute façon pas le temps de proposer une réponse articulée et nuancée, et recherchent le buzz, donc le clash. Il s'agace : «Certains sont vraiment nuls !» Je rectifie : «Non, ils sont de leur époque. C'est pire.»

Commentaire acerbe de V., une de mes amies, pourtant peu suspecte d'antipathie, après l'un de ses passages à la télé : «Il est arrogant dans sa façon de s'exprimer. On ne peut pas s'adresser aux gens avec cette supériorité. Et puis il n'emploie pas le vocabulaire qu'ils peuvent comprendre. Il a intérêt à rectifier, s'il veut que ça marche, son truc.»

Fin novembre. François Fillon remporte la primaire de la droite. Ce résultat ouvre à Emmanuel M. un espace au centre, il peut espérer accueillir les orphelins de Juppé, les UDI désorientés, les Modem en mal de chef. Cela peut lui ramener des électeurs de gauche qui choisiront l'efficacité pour battre la droite plutôt qu'un président démonétisé (Hollande) et un vociférateur professionnel nostalgique de Fidel Castro (Mélenchon). Cela surtout l'identifie encore plus comme le leader des progressistes, puisque Fillon incarne le conservatisme. Du reste, le soir même du second tour de la primaire, il est sur France 2 et me dit, quelques minutes avant le direct : «Je vais me positionner comme l'alternative et le rassembleur des progressistes.» Je lui dis : «N'oublie pas ta gauche. Les fonctionnaires, les précaires, les bas salaires seront les premiers perdants du fillonisme.» Je le sens détendu, d'humeur badine, facécieuse, ce qui m'étonne un peu car l'enjeu est de taille. Quand il prend la parole, dix minutes plus tard, il est concentré, net, combatif, ce n'est plus le même homme. Les ressources inépuisables de l'acteur ou la décontraction logique de celui qui domine sa pensée?

Je me rends parfaitement compte du glissement qui s'est opéré. Il était un objet d'étude, avec lequel j'étais censé conserver la distance précisément nécessaire à l'étude, et voilà que je lui donne des conseils pour conduire sa campagne (alors qu'il ne m'a rien demandé). Par ailleurs, notre affection réciproque se renforce dans cette curieuse aventure, ce qui est, somme toute, normal tant elle sort de l'ordinaire, mais elle aggrave encore ma subjectivité.

S'il en est un, en revanche, qui entend porter un regard objectif et aiguisé, c'est bien le journaliste Alain Duhamel, lequel a vu défiler depuis un demi-siècle campagnes et présidents. Son diagnostic sur Emmanuel M., est, comme souvent, pertinent : «*Il faut distinguer son espace médiatique, son espace politique et son espace électoral.*» Puis le politologue s'amuse : «*Son atout, c'est qu'on lui prête des idées. Son handicap, c'est qu'on ne sait pas trop lesquelles.*» Enfin, il imagine la suite : «*Il peut être Chevènement ou Bayrou. Commencer très haut, très fort et retomber complètement, comme Chevènement en 2002. Ou bien être près de se qualifier pour le second tour, comme Bayrou en 2007.*» Allez savoir... Toutefois, une chose me gêne dans son analyse : Duhamel, comme tous les autres, ne raisonne que par analogie, jamais il n'envisage qu'Emmanuel M. puisse être sans précédent.

La campagne elle-même ne présente pas – du moins pour l'instant – le profil des campagnes d'antan. On allait au cul des vaches, on partageait saucisson et vin rouge dans une fausse bonne franquette, on serrait des mains sur les marchés, on battait les estrades, on osait une certaine spontanéité, on se rassemblait dans des salles des fêtes, les apparitions à la télé étaient solennelles. Désormais, on mise sur les réseaux sociaux, on a recours à des logiciels, on se confie sur des canapés, on remplit des Zénith, on écoute les conseils d'un coach, on verrouille la communication. Ce regret est probablement le signe que je vieillis.

Décembre

Et puis survient un coup de tonnerre, en direct à la télévision, à 20 heures, le 1er décembre : François Hollande annonce qu'il renonce à se présenter à la présidentielle. Je retrouve Emmanuel M. une demi-heure plus tard. Son regard est vitreux. L'homme est ébranlé. Je comprends très vite que sa réaction n'est pas politique, il ne se demande pas encore s'il s'agit d'une bonne ou d'une mauvaise nouvelle pour lui-même, si elle lui ouvre un espace supplémentaire ou si, au contraire, l'entrée imminente dans la compétition de Manuel Valls le prive d'un peu d'oxygène. Non, sa réaction est affective. Il pense à l'homme qui renonce, celui qu'il connaît si bien pour l'avoir fréquenté au plus près pendant quatre ans. Il salue **sa** dignité, sa lucidité, son courage mais devine, mieux que

d'autres peut-être, sa blessure intime, la mortification née d'une telle abdication. Il dit : « J'ai
entendu la voix chevrotante, j'ai senti combien
ça lui coûtait. » Il ne s'épanche pas sur le sujet.
Il précise simplement qu'il va reparler au président, que c'est « possible désormais ». Il semble
espérer et redouter tout à la fois leur conversation. Je gage qu'il n'en révélera rien. Mais j'ai la
confirmation que sous l'armure, se dissimule,
formulons-le ainsi, un sentimental.

(Plus tard, Hollande confiera, paraît-il, que
la candidature d'Emmanuel M. a été pour lui
« le coup de poignard de trop ». De là, vient,
également, l'émotion ?)

Brigitte, elle aussi, paraît décontenancée.
Mais plus spécifiquement par le trouble de son
mari. Elle sait que s'est joué entre lui et le président quelque chose qui n'appartient qu'à eux
deux. Elle en est encore exclue, en ce soir du
1ᵉʳ décembre.

Voici donc qu'en l'espace de dix jours, dix
jours seulement, trois piliers de la vie politique
des trente dernières années ont été poussés
vers la sortie : Nicolas Sarkozy, Alain Juppé et
François Hollande. Ce mini-séisme inspire
deux commentaires : est-ce à dire que le puissant désir de renouvellement est en train de
tout emporter sur son passage ? et, décidément,

rien ne se passera comme prévu, dans cette campagne.

Au lendemain de l'annonce, Brigitte, au téléphone, fait le point, avec sa franchise habituelle : « Maintenant : Valls. Lui, il me fait peur. » Je devine que sa peur n'est pas seulement électorale.

Et d'ailleurs, dans une campagne, jusqu'où la violence peut-elle monter ? jusqu'où l'intimidation peut-elle se manifester ? Existe-t-il des cabinets noirs, chargés de distiller des rumeurs, de livrer aux journaux les vilains petits secrets des concurrents ? Existe-t-il des hommes de main, chargés des basses besognes ? Je veux croire que tout cela relève du fantasme. Cependant, un doute subsiste. La peur de Brigitte M., malgré elle, entretient ce doute.

La violence, justement ; la violence et ses mots : de très nombreux commentateurs attribuent au Premier ministre la responsabilité du retrait du président et parlent de *meurtre* symbolique. Emmanuel M., qu'on caricature encore en Brutus, en profite pour refiler à l'accusé le mistigri de la trahison. Pour dépeindre Valls (qui se déclarera candidat le lendemain), il emploie une image terrible : « un tireur couché ». Redoutable d'efficacité.

Questions incidentes.

Si on considère que toute campagne politique consiste à faire apparaître une image séduisante de soi même en accumulant des mensonges ou, au mieux, des vérités tronquées et en dénaturant systématiquement les idées et le travail de ses adversaires, jusqu'où Emmanuel M. est-il prêt à aller ? Est-il capable d'être injustement impitoyable ?

Par ailleurs, aucune campagne ne se gagne sans des millions (en l'espèce près de 22, en France, compte tenu des dispositions de la loi électorale). Emmanuel M. disposera-t-il des ressources suffisantes ? Les donateurs seront-ils assez généreux, les banques assez prêteuses ? (Il se trouve, du reste, à New York pour une levée de fonds. Son trésor de guerre se monterait, à date, à 4 millions. Encourageant mais nettement insuffisant.)

Toute campagne exige également un directeur aguerri, professionnel, futé, et une équipe de petites mains prête à mourir pour son chef. Emmanuel M. n'en dispose pas, pour le moment. Son dircom n'est pas manchot, ses « marcheurs » sont enthousiastes, mais tout ceci fleure encore l'improvisation.

D'autant qu'en face, que ce soit chez Fillon ou Valls, l'argent ne manque pas (c'est celui du parti), les équipes sont constituées et les grognards se préparent au combat. Il va falloir que le « petit nouveau » hisse rapidement son niveau de jeu.

Au fond, sur qui peut-il compter et éventuellement se reposer ? Ils ne sont qu'une poignée.

D'abord, Richard Ferrand (cinquante-quatre ans), patron d'En Marche !, Breton débonnaire, ancien journaliste, doté d'un bon sens politique, fidèle comme l'est un soldat, habile comme l'est un expert en déminage. Parle peu mais souvent à bon escient.

Ensuite, un type de vingt-neuf ans « *aux airs d'étudiant attardé derrière ses verres épais de myope* », raconte *Libération*, « *fin stratège et discret communicant* », ajoute *Le Monde*. Il s'appelle Ismaël Émelien. Grenoblois passé par Sciences Po, puis par Euro-RSCG, il connaît Emmanuel M. depuis 2009. Il est devenu son sparring-partner, son conseiller de l'ombre. Il mise sur une start-up de stratégie électorale pour que son candidat colle au plus près des attentes des Français. Ses qualités : la franchise et la discrétion. Signe particulier : toujours un écouteur d'iPhone vissé à l'oreille (nous entend-il ?).

On trouve aussi un diplômé de Sciences Po et de HEC, ancien conseiller de Dominique Strauss-Kahn, passé par le conseil général de

Saône-et-Loire et la communication d'un groupe immobilier, il est devenu porte-parole d'En Marche ! Il s'appelle Benjamin Griveaux, il a trente-huit ans. Il fera un excellent sniper. Il peut assassiner avec un petit sourire.

Je repère Julien Denormandie, un ingénieur des Ponts, Eaux et Forêts, qui présente d'indéniables talents d'organisateur. Il a trente-six ans, en fait dix de moins. Avec sa raideur de gentleman et son humour anglais, on le croirait tout droit sorti d'Oxford ou échappé du film *Another Country.*

Ajoutons Sylvain Fort (quarante-quatre ans), déjà évoqué. Après Normale sup, il a enseigné à la Sorbonne, écrit des discours pour des hommes politiques, été banquier à Rome, et il aime la musique classique (elle adoucit les mœurs, paraît-il). Il a fondé une agence de communication. L'homme est charmant et novice. Sanguin, à l'occasion.

Enfin, Sibeth Ndiaye (trente-sept ans), la seule fille de la bande. Sénégalaise naturalisée en 2016. Ancienne militante à l'UNEF. Elle s'occupe des relations presse. Petit bout de femme qui ne s'en laisse pas conter. Ne pas la réduire à sa jovialité : elle ne lâche rien et a l'oreille du candidat.

J'allais oublier. Il est un homme qu'on ne voit jamais mais que le candidat consulte chaque jour par téléphone ou messagerie : Alexis Kohler, quarante-quatre ans. Énarque, il fut son directeur de cabinet à Bercy. Il est surtout son «jumeau intellectuel», si j'écoute ce qui se murmure (et les murmures sont empreints de révérence). Un fantôme influent.

Un peu léger tout ça, un peu «hors-sol», mais après tout, François Mitterrand ne théorisait-il pas qu'une victoire se construit avec une poignée d'hommes résolus ?

Comme s'il entendait contrecarrer les critiques qui montent sur sa prétendue verdeur, Emmanuel M. se livre à une véritable démonstration de puissance, en réunissant plus de dix mille supporters au Parc des expositions de la porte de Versailles, un samedi après-midi de décembre. Reconnaissons-le, il s'agit d'un tour de force pour une organisation aussi récente, aussi peu rompue à l'exercice, et sachant qu'il n'a pas été fait recours aux pratiques traditionnelles : affréter des bus, louer des compartiments de train, aux fins de remplir la salle. Ceux qui sont là l'ont voulu, décidé, ils sont venus par leurs propres moyens, ils souhaitent soutenir leur candidat, ils croient à sa victoire. (Hallucination collective ou mouvement de fond ? L'avenir le dira.) Trois conclusions s'imposent : d'abord, une vague monte (quelle est son ampleur ? va-t-elle se transformer en rouleau ou mourir lamentablement ?) ; ensuite, les réseaux sociaux jouent et joueront un rôle considérable, la mobilisation est forcément passée par eux ; enfin, les militants qui travaillent d'arrache-pied dans l'ombre, les « marcheurs » acharnés, les soutiers invisibles pourraient finalement se révéler une armada redoutable.

Sur le fond, les thématiques sont martelées : Emmanuel M. entend être « le candidat du travail », « le candidat du pouvoir d'achat », « le candidat de la protection des Français ». Tiens, exactement celles développées par Nicolas Sarkozy en 2007. Cela ne lui avait pas si mal réussi... Une différence (de taille) : le progressiste proclamé y ajoute un vibrant plaidoyer pour l'Europe. Ce qui s'appelle une sacrée prise de risque quand on sait que les électeurs, aiguillonnés par leurs élus, rendent l'Europe responsable de tous leurs maux. Décidément, ce garçon aime jouer avec les lignes jaunes.

Sur la forme, le discours est trop long, se perd dans des digressions inutiles mais la langue a enfin été adaptée au public, elle est enfin intelligible. Le candidat dégage une énergie folle, il sait galvaniser la foule, il semble habité mais ne joue que sur le registre de la force et quand sa voix se brise, que ses bras s'ouvrent et que son regard se lève vers le ciel, c'est franchement « too much ». On veut bien un aventurier mais sûrement pas un halluciné, pas un extatique.

Bernard Barrault, mon éditeur, quant à lui, file la métaphore nautique : « Si j'en juge par les images et les commentaires, il est sorti de la porte de Versailles comme d'autres franchissent brillamment le golfe de Gascogne. Le fiasco attendu de la primaire de gauche devrait lui permettre de passer le cap de Bonne-Espérance. Après, ce sont les quarantièmes rugissants. »

Manuel Valls, ayant finalement intégré que l'adversaire était plus coriace qu'il ne l'envisageait, se répand alors dans les journaux. Son message : « *Ma candidature est une révolte.* » Le terme est pour le moins mal choisi quand on sait qu'Emmanuel M. a fait de la sienne une « *révolution* ». Petit joueur, l'ancien Premier ministre ?

Il se rattrape en appuyant où ça fait mal : il faudra demain affronter Trump, Poutine, Erdogan, il estime disposer de la stature pour cela et laisse entendre que ce n'est pas le cas d'Emmanuel M. La pique vise juste. La question mérite d'être posée : notre héros a-t-il l'étoffe ? Les Américains ont inventé l'expression parfaite : *Does he have what it takes ?* Ce qu'on traduit incomplètement par : « A-t-il ce qu'il faut ? » Je dis : *incomplètement* car il y manque la notion de « couilles ». Emmanuel M. objecte que nul n'a jamais été président avant d'être porté par le peuple à cette fonction (en gros, la fonction révélera l'homme). Il ajoute que la stature est également conférée par l'élection. Un peu court ?

Le Parti socialiste se met à cogner, lui aussi. Après l'avoir convié à se joindre à la primaire de la gauche, puis essuyé son refus, les responsables durcissent le jeu en menaçant de dénier investiture à tous les candidats aux législatives qui apporteraient leur soutien à l'insolent, à l'insaisissable, à l'insoumis. Le chantage est grossier, éculé, mais il peut fonctionner dans une République où chacun cherche à garder son siège et dans une période sombre où il s'agira seulement d'espérer sauver les meubles. La réplique d'Emmanuel M. ne se fait pas attendre : « L'anathème et l'excommunication ne sont jamais de bonnes méthodes en politique. » Et, histoire de bien faire comprendre que la menace ne l'impressionne guère, il enfonce le clou : « La priorité du PS doit être la bonne organisation de sa primaire plutôt que des moulinets dans le vide. » Bref, chacun montre ses muscles. Mais est-on dans une cour de récré ou dans un cirque de gladiateurs ?

La vérité, alors que les vacances de Noël approchent, c'est que tout tourne autour de lui. Les autres se positionnent par rapport à lui, redoublent d'attaques, se trouvent sommés à la télé, à la radio de commenter ses moindres faits et gestes. Les médias, sérieux et satiriques, repassent en boucle l'envolée finale de son meeting parisien, on le compare au Leonardo DiCaprio du *Loup de Wall Street* égomaniaque et délirant. Les sondages indiquent une nouvelle hausse des intentions de vote en sa faveur (dans une étude, il tutoie même les 18 %). C'est *son* moment. Le problème des moments, c'est que, normalement, ils ne durent pas.

Cela étant, jusque-là, il a fait mentir tous les pronostics. On prétendait qu'il n'aurait pas le courage d'abandonner son job de ministre, il l'a fait, qu'il n'oserait pas se présenter à la présidentielle, il l'a fait, que la bulle autour de lui éclaterait rapidement, ce n'est pas le cas. Pour espérer tenir dans les hauteurs, il doit continuer à mordre dans tous les électorats. Il y croit.

Et si ce qui le guettait, c'était de se laisser gagner par l'ivresse de la gloire ? Voici un homme inconnu il y a quatre ans, honni il y a

un an (au point que la loi qui porte son nom
a dû être votée au forceps) et qui, aujourd'hui,
monopolise les unes de magazines, rassemble
des auditoires gigantesques, accumule les supporters, aimante les foules sur son passage et se
voit prédire un destin présidentiel : on a vu des
gens basculer pour moins que ça. Dans son
rapport physique aux gens, je distingue parfois
les signes de ce possible basculement. Je le sens
grisé par sa célébrité. Je l'imagine porté par la
promesse d'un destin hors normes. Son intelligence et sa lucidité lui permettront-elles de ne
pas se brûler les ailes ? On peut si facilement
devenir Icare.

Juste avant Noël, il effectue un déplacement
en Guadeloupe. Soazig, la photographe qui
colle à ses pas, et dont l'œil est si exercé, me
raconte : «On vient de se fader dix heures
d'avion. Et on nous propulse dans un "chanté
nwèl". On est donc au milieu d'une foule com-
pacte, j'ouvre la marche. Les gens, voyant
Emmanuel, se jettent littéralement sur lui.
Je me retourne. Les gens veulent le toucher,
danser avec lui. Je me demande, inquiète, comment il va réagir. Je suis une habituée des
hommes politiques, je m'attends à ce qu'il
refuse ou fasse semblant. Mais à ce moment
précis, le masque tombe, à ce moment précis,

ça peut paraître bizarre mais je vois Emmanuel devenir Emmanuel Macron président. Son œil s'illumine, il agrippe les mains qu'on lui tend, il se met à danser, libre, léger, confiant. Je sais que ça vient de changer irrémédiablement ma façon de le prendre en photo. »

Pendant ce temps, à Paris, Brigitte lit *Arrête avec tes mensonges*, le roman que je fais paraître en janvier, l'histoire d'un amour frappé par la censure. Elle m'en parle, sitôt sa lecture achevée : « Le mot essentiel est *mutilation*. C'est bien de cela qu'il s'agit. Tu m'as fait appréhender la simple difficulté d'être ce que l'on est quand ce n'est pas la norme sociale. D'une certaine façon, je l'ai vécu, mais Emmanuel a été une évidence incontournable et une force vitale. Tes mots sont justes et coupants mais cela ne peut pas se dire autrement. »

Elle me rappelle leur mise au ban originelle, leur solitude, elle dit l'amour qui sauve. Qui ne comprend que ceci explique en partie leur comportement ?

Par esprit d'escalier, elle m'interroge au sujet du livre que je consacre à son mari. J'élude : « Il s'agit d'un roman, puisque ton mari est romanesque.» Elle me corrige : «Romanesque et romantique.»

Pour autant, il n'ira pas montrer cet aspect de sa personnalité, me confirmant qu'il persiste, en dépit d'invitations répétées, à refuser de se confesser à Karine Le Marchand : «C'est du spectacle. Je peux parler de ma vie mais je ne veux pas la mettre en scène. Et je n'ai pas de rapport névrotique à mon intimité, je n'aurais donc rien à livrer à une femme par ailleurs charmante qui pratique le croisé-décroisé sur un sofa. Enfin, le pouvoir exige de l'opacité.»

Il est conforté dans ses choix, puisqu'il termine l'année 2016 en fanfare : le voici désigné «personnalité politique préférée des Français» et une majorité de sondés estiment qu'il ferait «un meilleur président» que François Fillon. Le décollage semble réussi. Maintenant, il faut tenir «en mode avion», comme il l'a théorisé lui-même, pendant quatre mois. Les réacteurs sont-ils assez puissants ? Dispose-t-il de suffisamment de kérosène ? Réponse en 2017.

Janvier

Nous commençons cette nouvelle année ensemble. Je le retrouve tel que je l'ai laissé,

résolu et raisonnablement optimiste. Mais
d'abord, plutôt que de parler politique, il
évoque les quelques jours passés à Lisbonne
entre Noël et Nouvel An, en compagnie de
Brigitte. Il a aimé déambuler dans les rues
pavées, descendre des collines, sauter dans un
tramway, longer les eaux grises du Tage, il a
aimé la douce mélancolie qui se dégage de la
ville, il y a senti la présence des artistes, plus
qu'ailleurs, assure-t-il «et pas seulement celle
de Pessoa sur les murs». La politique, cependant, n'est jamais loin : « Voilà un pays qui a
connu la grandeur et qui l'a perdue. »

Nous entrons alors dans le vif du sujet.
Je l'interroge sur sa popularité. Il analyse, sans
se réjouir et froidement, comme s'il parlait
d'un autre : «Je la vois bien, cette popularité.
La question c'est : est-ce que ça métabolise en
intentions de vote? Mais même si ça métabolise, ça ne signifiera pas que c'est fixé. Il y a
toujours une très grande volatilité de l'électorat. Du coup, chaque instant est fondamental,
chaque détail compte. Tous les petits signes
peuvent être vitaux ou mortels. Je pense
souvent à cette phrase de Julien Sorel dans
Le Rouge et le Noir : *"Au séminaire, il est une
façon de manger un œuf à la coque qui annonce
les progrès faits dans la vie dévote."* Le moindre
détail peut être sursignifiant.»

Il espère réaliser une percée de quelques points d'ici à la fin du mois de janvier. « Je suis installé à la troisième place, c'est bien. Mais maintenant il faut resserrer l'écart. Rendre crédible un accès au deuxième tour. »

Je le questionne sur les moyens qu'il se donne pour y parvenir. Là encore, il expose les choses sans hésitation et avec clarté : « D'abord, j'ai choisi mon directeur de campagne. Ça ne pouvait pas être un politique parce que ça m'aurait enfermé. Je ne voulais pas d'un préfet qui aurait eu du mal avec la nécessaire prise de risque. J'ai choisi quelqu'un de suffisamment non typé pour faire cohabiter tout le monde et de jeune pour valoriser l'audace. » Écarter les mauvaises solutions, est-ce en choisir une bonne ?

Comme je lui reproche l'endogamie qui se dégage de son entourage, il réplique : « Tu as tort, mon organigramme est sans doute le plus intergénérationnel. Il y a beaucoup de jeunes, oui, et de diplômés, oui. Je l'assume. Les maréchaux d'Empire étaient jeunes, et ce n'étaient pas des paysans, ils avaient fait l'école de guerre. Par ailleurs, cela n'empêche pas de vouloir transformer des paysans en hussards. »

Comme d'habitude, il a prévu les objections. Comme d'habitude, il a préparé les réponses aux objections. Toujours la parade et toujours un coup d'avance, c'est la façon dont son intelligence est organisée, sur de nombreux sujets. Fascinant. Et agaçant.

Il poursuit : «Et puis, il y a l'argent. J'ai collecté 5 millions au 31 décembre. C'est au-delà de mes objectifs. La victoire de Fillon n'a pas ralenti la collecte. Du coup, ce sera facile d'emprunter 9 millions à la banque. Cette question n'en est plus une. »

À ceci près que si, à la fin, il réalise un score inférieur à 5 %, il devra rembourser lui-même ces 9 millions. «J'ai pris mon risque», lâche-t-il. Sans crâner pour autant.

Je lui fais remarquer que certains de ses concurrents lui demandent de publier la liste de ses donateurs, laissant entendre par là qu'il s'est mis dans la main de puissants qui attendront de lui un retour sur investissement, si jamais il accède à l'Élysée. Il s'agace : «Savent-ils, ceux qui réclament une telle publication, qu'elle est illégale? » Et ajoute : «J'ai invité ceux qui le souhaitent à rendre public leur don. Le reste ne me concerne pas. »

Ses concurrents de gauche, engagés dans la primaire, qu'en pense-t-il justement? Il ne biaise pas : «Peillon? D'une certaine façon, il est bipolaire. S'il devait être désigné, il partirait en torche. Hamon? Il n'a pas l'ethos, l'allure, la manière. Valls ? Il s'est tiré une balle dans le pied avec sa volte-face sur le 49.3. Cela étant, je m'en méfie parce que c'est le seul *campaigner*. Et ce n'est pas un gentil. »

La campagne, comment la vit-il ? « C'est vibrant, trépidant, généreux, on prend de l'énergie, mais c'est asséchant aussi, on n'est plus enrichi, tu te rends compte que tu n'as plus le temps d'écouter les gens comme il le faudrait. » Dans sa tête, fait-il déjà le compte des distances parcourues, des paysages traversés sans en voir grand-chose, des mains serrées, des baisers donnés, des poses consenties, des formules répétées, et admet-il que tout se mélange un peu, que beaucoup s'estompera ? A-t-il déjà compris que l'accélération programmée du rythme va aggraver cette confusion, et qu'à multiplier les rencontres on ne retient presque plus rien ?

Imagine-t-il en sortir victorieux ? Il est catégorique : « Je ne m'imagine pas perdre. Je me projette à l'Élysée. Et c'est d'ailleurs parce que je me projette que je me garde de faire des promesses que je ne pourrais pas tenir. Hollande ne s'était pas projeté. Il aime la politique. Ce qu'il voulait avant tout, c'était gagner l'élection. Moi, je n'aime pas la politique. J'aime faire. »

(Puisqu'on évoque Hollande, je lui demande s'ils se sont parlé depuis le renoncement historique du 1er décembre. Son expression change. Pour la première fois, je le sens mal à l'aise. Il finit par lâcher : «On a échangé des SMS. Il m'a dit espérer que son retrait serait utile.» Il laisse passer quelques secondes, s'installer un silence, il paraît réfléchir et finalement ajoute : «Hollande a fabriqué sa propre perte : il s'est mis dans la main de gens qui l'ont desservi, de faiseurs de coups.»)

Et lui, quel président serait-il ? «On n'attend pas un président normal, mais sincère, cohérent, digne. Le plus difficile, c'est d'habiter la fonction de manière contemporaine. C'est une manière d'être, ça ne se décrète pas. Mais c'est aussi de la rareté. On est tombé, depuis Chirac, dans une présidence de l'anecdote. Il faut tenir les journalistes à distance, s'interdire de commenter, de réagir à chaud, il faut donner un cap et du sens, porter une historicité et une vision. C'est aussi de la générosité. Il faut trouver une présence directe, désintermédiée au peuple, cela suppose par exemple de ne pas rendre tout son agenda public.»

Je reviens sur la question de sa stature : «Tu t'imagines face à Trump, à Poutine ?» Il balaye à nouveau d'un revers de main : «J'aurai la légitimité démocratique, point.» Avant de se lancer dans un dégagement sur la politique étrangère : «La France est présente sur des théâtres d'opérations. Elle est en lutte et ça va durer longtemps. La gauche est prisonnière de son droit-de-l'hommisme, elle fait de la morale sans avoir la main. Cela donne la Syrie, qui est le plus grand sinistre diplomatique depuis Suez. Et à droite, on a des Bismarck au petit pied, fascinés par Poutine parce qu'il est aujourd'hui le plus fort, et dépourvus de toute vision européenne. On n'ira pas loin avec ça. Moi, je me poserai des questions simples : quels sont mes intérêts ? où sont mes alliés ?»

Et le terrorisme ? «Je l'ai dit, je ne me laisserai pas dicter mon agenda par les terroristes. Quand le président Sadi Carnot a été assassiné en 1894, à l'Assemblée nationale les parlementaires ont lancé : "Reprenons les discussions sur le beurre." C'était *business as usual*.»

Je reviens à la campagne présidentielle, aux attaques qu'il subit. J'ai besoin de savoir comment il les reçoit. «Quand je suis attaqué, je réplique. Je rends coup pour coup. Mais je préfère une détermination absolue à la violence. Il faut jouer avec les règles de l'escrime. Il y a des coups autorisés et d'autres non.»

Cela signifie-t-il qu'il n'est pas prêt à tout dans ce combat ? Il est net, tranché dans sa réponse : «On n'est pas obligé d'être violent ou malhonnête. Il n'y a pas de destin sans honneur. »

Il m'expose alors son mode de fonctionnement : « Ma force, c'est que les gens perçoivent une sincérité, une volonté de faire, une civilité, une honnêteté. Le principe de base, c'est qu'on ne doit jamais jouer contre ses forces. Il faut être radical sur sa ligne, ne pas compromettre, ne pas aller sur la ligne de l'autre, ne se livrer à aucune concession, aucune approximation. » Je m'interroge : est-ce que ça suffit ? est-ce qu'il n'y a pas dans ce positionnement une grande naïveté ?

Avant de nous quitter, nous parlons de Brigitte. Il s'agit d'un dialogue privé, mais je ne peux m'empêcher de le ramener sur le terrain politique : Brigitte, à qui d'aucuns reprochent sa trop grande influence et sa trop grande liberté de ton (entre autres), est-elle, pour lui, un atout ou un handicap ? Il me dévisage : « Je ne raisonne pas du tout comme ça. Je refuse que ce soit un sujet politique. Brigitte, c'est moi. Et moi, c'est elle. Point. Ce qui a fait ma vie, c'est de ne jamais me comporter en fonction du regard des autres. J'ai été paria pendant dix ans, je n'ai jamais dévié. Je ne vais pas demander à Brigitte de changer. Je la protège, c'est tout et c'est normal. »

Mon éditeur, à qui, le lendemain, je fais état de ma conversation, me confie son étonnement : «Ce qui est extraordinaire, c'est sa résolution qui finit par désarçonner. Comme quelqu'un qui prétend escalader le mont Blanc en espadrilles. Il ne peut pas le faire, mais il est tellement déterminé qu'on se dit qu'il va finir par y arriver.»

L'Obs qui, en ce début janvier, le met une fois de plus en couverture (record de ventes assuré) pose la question autrement : «*Prodige politique ou Narcisse ivre de lui-même ?*»

Les Français en pincent toujours pour lui. Comme il l'espérait (comme il l'avait planifié ?), il grignote des points dans les intentions de vote. Désormais, son score s'établit entre 16 et 20 %, ce qui le place en embuscade. Une configuration (celle où Montebourg est le candidat socialiste et où Bayrou ne se présente pas) le qualifie même pour le second tour. Je reste dubitatif car l'échéance est encore lointaine : trois mois en politique, c'est à peu près l'éternité. Qui plus est, on nous répète qu'il convient de se méfier des sondages qui se sont si lourdement trompés, prévoyant une défaite du Brexit, une victoire d'Hillary Clinton et un triomphe d'Alain Juppé à la primaire de la droite.

Il est cependant un autre indicateur intéressant : celle de l'affluence aux meetings. Là où Valls et consorts peinent à réunir parfois plus de deux cents personnes, y compris dans des villes marquées à gauche, Emmanuel M. remplit les salles : un millier de sympathisants à Nevers, la ville de François Mitterrand («Un record pour la Nièvre», assure le maire sans étiquette), deux mille cinq cents à Clermont-Ferrand («Une vague monte», prétend le jeune insolent), cinq mille dans un Zénith plein à craquer à Lille («Ce rêve n'était pas une folie»), ou encore deux mille deux cents à Quimper («Nous sommes un mouvement de confluences»).

Du coup, chacun de ses gestes est scruté davantage encore, chacune de ses paroles est soupesée. Et précisément, une déclaration faite à Nœux-les-Mines soulève une polémique. Emmanuel M. avance que «l'alcoolisme et le tabagisme se sont peu à peu installés dans le bassin minier». Steeve Brios, le maire FN d'Hénin-Beaumont, monte aussitôt au créneau : «*Avec sa morgue de banquier parisien, Macron insulte toute la population d'ici. Il doit s'excuser et vite.*» D'autres lui emboîtent le pas, trop heureux que le chouchou ait peut-être enfin trébuché : «*Pour Macron, les Français* sont des illettrés ou des alcooliques» (Nicolas Dupont-Aignan, dont on était sans nouvelles). «*Après les illettrés bretons, le banquier Macron insulte les gens du Nord alcooliques. Voilà un monsieur suffisant mais pas nécessaire!*» (Gérald Darmanin, à peine remis de la défaite de son favori, Nicolas Sarkozy, l'adepte de la «*double ration de frites*» à la cantine pour les enfants musulmans et qui deviendra ministre quatre mois plus tard). Les deux font allusion à la déclaration faite en 2014 au sujet des ouvrières supposément illettrées de l'entreprise Gad. Mais la charge la plus virulente est à mettre au compte de Jean-Luc Mélenchon (aurait-il flairé le danger comme le chien de chasse flaire l'animal blessé?) : «*Cet homme vit ailleurs. Il vit tellement ailleurs qu'il parle aux gens comme à des domestiques. Il n'en rate pas une, il ne peut pas s'en empêcher. Il arrive dans le Pas-de-Calais et il leur dit : "Ah bah oui, il y a le tabagisme et l'alcoolisme." Il ne manque que l'inceste et comme ça, le tableau serait complet!*» Sauf que l'intéressé, plutôt que de s'excuser, persiste et signe. Il «ne retire pas un mot de ce qu'il a dit» et «note que la coalition des bien-pensants va de l'extrême gauche à l'extrême droite». Il faut dire qu'il a les experts pour lui, rappelle *L'Express*. En 2013, une étude du pôle observation-prospective de la mission Bassin minier expliquait en effet que «*la surmortalité est la plus nette pour les décès liés à l'alcoolisme : leur nombre est supérieur de 87 % chez les hommes et de 138 % chez les femmes à ce que l'on aurait observé dans le Nord-Pas-de-Calais si la mortalité y était la même qu'en France*». L'Institut national des études démographiques souligne pour sa part en 2013 que, dans ce territoire, «*on retrouve en partie le rôle des comportements individuels sur la mortalité (notamment tabagisme et consommation d'alcool*». La question qui se pose est désormais la suivante : Qu'est-ce qui l'emportera dans l'esprit des électeurs ? Une forme de mépris social ou le courage de nommer le réel ?

Le même jour, Emmanuel M. se rend chez un grossiste alimentaire à Hénin-Beaumont afin d'y rencontrer une quinzaine de producteurs locaux. Pendant une heure, chaque fois qu'il s'arrête sur un stand, il pose des questions, se fait expliquer l'origine du produit proposé, la structure de l'entreprise. Puis, au cours de l'heure suivante, il remet des médailles du travail aux employés les plus méritants. Au moment de son départ, deux journalistes en embuscade, l'un travaille pour Radio Nova, l'autre est correspondante du *Monde*, tendent leurs micros : «On vous a vu très intéressé lors des présentations des producteurs locaux, on vous sent à l'écoute. Mais est-ce vraiment authentique?» Le candidat répond du tac au tac : «Le contact fait partie du plaisir d'être en campagne. Si je n'aimais pas ça, tout le monde le sentirait.» La journaliste du *Monde*, visiblement peu convaincue, insiste : «Mais est-ce réel? Êtes-vous attentif lors de ces rencontres? Par exemple, que vous a dit Mme Durand tout à l'heure?» Emmanuel M. n'a pas une seconde d'hésitation : «Mme Durand? La dame de la bière Chti? Elle m'a expliqué qu'elle avait quinze employés, que son entreprise – elle m'a corrigé quand j'ai dit "groupe" – existe depuis 2009, qu'elle vient de sortir une cuvée prestige, que je n'ai pas goûtée.» La journaliste du *Monde* ne masque pas sa surprise : «Ah! Mais donc vous écoutez vraiment! Parce que c'était il y a deux heures au moins!» Elle ne fera pas mention de cet échange dans son article publié le lendemain.

Longue conversation avec Benjamin Griveaux, le porte-parole d'En Marche! (l'homme est, à n'en pas douter, intelligent et éloquent). Je l'interroge sur ce qui peut faire gagner ou perdre Emmanuel M. Il est clair : «On est allés recueillir la parole des Français, l'automne dernier, et tout ce qu'on a entendu, au fond, pourrait se résumer à une seule phrase : "Nos vies sont empêchées." Si Emmanuel parvient à traiter cette question, à y apporter une réponse, ou, au moins, à assurer les Français qu'il s'en saisit à bras-le-corps, alors il peut l'emporter.»

Mi-janvier, *Le Parisien* titre : «*Macron, ça marche*». Emmanuel M., avec qui je dialogue, corrige : «Ça avance. Il y aura un reflux, à cause de tous ces pervers. Mais on continuera la montée vers le sommet.»

Une connaissance qui, l'été dernier m'expliquait, péremptoire, que Macron, c'était «déjà fini», me confie sa surprise : «J'ai passé les fêtes de fin d'année avec six jeunes. C'est dément : ils vont tous voter pour lui. Tous. Jamais vu ça.»

Au téléphone, Brigitte. Je lui demande comment elle sent les choses : «Je vois bien l'engouement quand on effectue un déplacement, me répond-elle, mais je ne veux rien en déduire, je suis incapable de me projeter. Je préfère être dans l'instant, c'est plus simple pour moi.» Elle termine par une pirouette : «En tout cas, si je devais, moi, écrire un livre sur ce qui se passe, j'aurais déjà le titre : *Dites à votre mari...* C'est un bon titre, non ?»

En novembre dernier, Alain Minc, longtemps proche de Nicolas Sarkozy, alors soutien
d'Alain Juppé, prédisait l'échec d'Emmanuel M. dans des termes d'une rare sévérité,
estimant notamment qu'il cumulait les erreurs.
Ce 22 janvier, dans *Le Journal du dimanche*, il
annonce donc qu'il va voter pour lui. Ah, le
bruit séculaire des vestes qui se retournent !
Ah, le zèle des anciens accusateurs fraîchement
convertis ! On en rirait si ça n'était à pleurer.
Au-delà du cas particulier de cet opportuniste
compulsif, il faut s'attendre, dans les jours qui
viennent, surtout si la primaire de la gauche
n'est pas un succès et désigne Hamon ou
Montebourg, à des ralliements de dernière
minute, des déclarations d'amour intéressées,
des sorties du placard (du reste, j'aperçois depuis
quelques jours de nouveaux «visiteurs du
soir»). Ils prétendront qu'ils l'appréciaient
depuis longtemps mais ne pouvaient le formuler publiquement, qu'ils voulaient le soutenir
mais en ont été empêchés. Ils assureront que
c'est un vieil ami. Et d'ailleurs, ils lui délivrent
des conseils en secret. Ils se pousseront du col,
s'arrangeront pour s'asseoir aux premières
places des meetings bien dans l'axe des caméras. Ils voleront au secours de la victoire, toute

honte bue. Ah, ça va être joli, ce bal des faux culs.

Emmanuel M., que j'interpelle sur le sujet de Minc avec malice («Il te soutient, t'es foutu! En plus, il a le chic pour ne soutenir que des futurs perdants : Balladur en 1995, Sarko en 2012, Juppé en 2016»), me répond sur le registre du sérieux agacé : «Là-dessus, il faut être simple et ne rien perdre en temps et en énergie. 1) Je leur dois quelque chose? Non. 2) Je dois m'offusquer de leur ralliement? Non, je sollicite le ralliement d'au moins 50 % des Français. 3) Sont-ils devenus mes amis et vont-ils pour autant peser sur la ligne? En aucun cas. Le reste n'est même pas de la littérature.»

Bilan du premier tour de la «primaire citoyenne» : une participation médiocre, de surcroît sujette à caution, deux gauches irréconciliables en finale, une perspective de victoire pour le plus radical des candidats. Décidément, les planètes s'alignent pour Emmanuel M. (Dans son entourage, une formule fait florès : «Qu'ils se démerdent!» Parfois les expressions les plus triviales sont les plus justes.)

Et la chance continue de lui sourire : voici que Fillon, le rigoureux, l'irréprochable, l'ombrageux, s'englue dans ce que les médias appellent déjà le «Penelope Gate», c'est-à-dire la rétribution pendant une dizaine d'années pour un montant global avoisinant le million d'euros de son épouse en qualité d'assistante parlementaire. Tous les ingrédients d'un désastre pour le candidat de la droite sont réunis : une somme astronomique (quand les Français doivent se serrer la ceinture et sont appelés à redoubler d'efforts s'il est élu), de l'argent public (et le contribuable chatouilleux peut rapidement se mettre en colère), du népotisme (caricature d'un système endogamique où les intérêts particuliers prévalent sur l'intérêt général), et peut-être un délit (s'il est prouvé que Mme Fillon a «occupé» un emploi fictif). La chute dans les sondages s'annonce rude. Et tout indique qu'elle fera deux bénéficiaires : Marine Le Pen et Emmanuel Macron.

Pendant ce temps-là, il regarde *On n'est pas couché*, l'émission de Laurent Ruquier à laquelle je participe et que j'ai enregistrée deux jours plus tôt. Il m'envoie ses commentaires par SMS, tandis que Rama Yade, l'invitée politique, s'exprime : «*J'allume ma télévision. Je tombe sur Rama Yade. Je me remémore Victor Hugo parlant* de Napoléon le Petit : "Un monument vide et sonore". *Et je vois ton regard perdu, la considérant. Et je repense à notre chemin.*» Quand il comprend que je me trouve à Florence où je suis allé passer le week-end, notre conversation dévie alors sur les mérites comparés de Filippino Lippi et de Fra Angelico. Il est une heure du matin. Je songe que je devise au sujet de la Renaissance italienne au milieu de la nuit florentine avec un homme qui sera peut-être président de la République dans trois mois. Je trouve ça légèrement irréel.

Le lendemain, Benoît Hamon confirme et remporte la primaire de la gauche. Les dieux sont donc avec Emmanuel M. Jusqu'à quand ?

(Que je vous dise, les hasards de la vie font que j'ai connu Benoît Hamon en 1991, nous avions vingt-quatre ans tous les deux, nous sommes devenus proches. Je me souviens qu'il était rocardien et qu'il me trouvait un peu trop «gaucho». Ça nous est passé. À tous les deux. Nous avons continué de nous croiser de loin en loin. Benoît est typiquement le genre de garçon avec qui il est très agréable de boire une bière, accoudé à un zinc, et de refaire le monde ; typiquement le genre de garçon pas fait pour l'Élysée.)

Février

Le premier sondage qualifiant le candidat d'En Marche! pour le second tour est publié. Ce même sondage prévoit une finale face à Marine Le Pen dont il sortirait aisément vainqueur. Dans l'esprit de pas mal de commentateurs, et probablement de pas mal de Français, ça y est : l'hypothèse d'un Macron président devient *plausible*.

L'intéressé, plutôt que de savourer le moment en apesanteur, choisit de lancer une offensive médiatique. Il est l'invité de la matinale de France Culture, puis l'invité de la matinale de France Inter (la plus écoutée de France), puis l'invité du JT de TF1 (le plus regardé de France). L'ambition, c'est de tuer le match, probablement. Il doit avoir en tête que c'est souvent en février qu'il se joue. Pourtant, tout indique que l'on s'égare à raisonner par comparaison. La volatilité de l'électorat reste plus forte que jamais. Disons plutôt qu'il s'agit d'imposer une image implicite, subliminale : la solidité face à un Fillon qui vacille, la clarté face à un Hamon qui peine à réconcilier les gauches.

Quand je lui en parle, il sourit et biaise : «On va au théâtre demain soir. Viens avec nous.» J'irai, en effet, au théâtre le lendemain. La pièce s'appelle *Pleins Feux*. (Et elle raconte l'ascension d'une jeune ambitieuse qui, méthodiquement, prend la place d'une vieille gloire qui n'aura pas vu le coup venir; si on avait l'esprit mal tourné, on y verrait une métaphore facile.)

Plus sérieusement, ce qui me frappe, c'est que sa main ne tremble pas, c'est que son esprit n'est pas en proie au doute, c'est que rien ne le corrode : il avance, déterminé et calme, comme insensible au fracas.

Peut-il s'agir d'une posture, d'une seule apparence? Je me rappelle ce qu'il m'a confié au commencement : «Je leur offrirai le visage de la *Pietà*», c'est-à-dire l'image de la douceur inaltérable, insubmersible malgré la cruauté qui s'abat. Il s'y tient. Néanmoins, il me semble également que cette placidité lui est naturelle. Deux néologismes semblent avoir été inventés pour lui : la zénitude et la coolitude.

Il s'offre une nouvelle démonstration de force (il préfère l'expression «manifestation d'envie»), à Lyon, où il réunit près de quinze mille personnes. La scénographie est impressionnante : cornes de brume, musique pop, drapeaux français et européens, gradins pleins à craquer et plateau en forme de ring de boxe (on s'attend presque à voir surgir Rocky Balboa). Toutefois, le discours est, comme d'habitude, trop long, et, pour une fois, un peu creux, enfonçant quelques portes ouvertes, enfilant les platitudes, ne voulant effaroucher personne. Sur le fond, on ne retiendra probablement pas grand-chose. Mais on se souviendra de ceci : le zèle des fraîchement convertis, le ralliement de créatures médiatiques vaguement passées de mode, ceux-là mêmes qui avant Noël devaient dire, les yeux au ciel : « Macron ? Mais c'est un mirage ! » et qui chantent aujourd'hui ses louanges. Je les vois qui se pressent autour de lui, la nouvelle foule des courtisans. Ils repartiront aussi vite qu'ils sont venus si le vent tourne, telle une volée de moineaux. Ils réclameront des places, des postes, des prébendes, s'il est élu, tels des rapaces.

Maintenant que la campagne se professionnalise, se densifie, s'intensifie, elle devient moins intéressante. Elle était une aventure singulière, elle devient un parcours plus conventionnel. Elle était une échappée, elle devient une mêlée. La magie s'estompe. Pour le romancier que je suis, c'est ce qui peut arriver de pire. Et pour l'électeur ?

Finalement, la convention n'aura pas tenu longtemps : le chef sort une surprise de son chapeau. Il jurait que les attaques ne le déstabilisaient pas, que les rumeurs n'avaient pas de prise sur lui, qu'il continuerait son chemin sans se préoccuper des torrents de boue, il décide pourtant (sur un coup de tête ?) de répondre à ses détracteurs, dans un show (improvisé ?) au théâtre Bobino. Devant ses partisans réunis, il énumère les griefs et y rétorque. Lui, « un gourou sans programme » ? Il s'en amuse : « Certains pensent que nous sommes dans une secte. Je vous rassure, notre projet ne sera pas de nous immoler par le feu. » Lui, « un gay planqué » ? Là encore, il opte pour l'humour : « Vous entendrez des choses, que je suis duplice, que j'ai une vie cachée. C'est désagréable pour Brigitte qui se demande comment je fais physiquement. Elle partage ma vie du matin au soir. Et je ne l'ai jamais rémunérée pour cela ! Je ne peux pas me dédoubler. Si dans les dîners en ville, dans les boucles de mails, on vous dit que j'ai une double vie avec Mathieu Gallet (le président de Radio France), c'est mon hologramme qui m'a échappé, ça ne peut pas être moi ! »

Je m'interroge sur ce choix. Il me semble qu'énoncer une rumeur (même pour lui tordre le cou), c'est à certains égards l'accréditer. Mais surtout, c'est la sortir de la clandestinité, de la fange, lui offrir la tribune des journaux sérieux, qui, soudain, se sentent autorisés à la rapporter puisque c'est l'intéressé lui-même qui en parle. Du reste, ça ne rate pas : elle s'étale en une de tous les médias électroniques dans l'heure qui suit et se voit commentée par des trolls. Et demain, deviendra-t-elle un poison qui instille et tue à petit feu ? Premier couac sérieux d'une communication jusque-là fort bien maîtrisée et efficace ? Vrai retournement ?

Brigitte m'appelle pour me demander ce que j'ai pensé de cette séquence. Je lui fais part de mes doutes. Elle les balaye : « Tu ne te rends pas compte, la rumeur court partout, je ne peux pas me déplacer en province sans qu'on me pose la question. » Je comprends aussitôt qu'elle n'est pas pour rien dans cette mise au point. Et, au fond, comment lui en vouloir ? Cette rumeur est une blessure pour elle. Pire : une mortification. Emmanuel, en s'efforçant de la contrer, a-t-il fait autre chose qu'une déclaration d'amour à sa femme ?

10 février. Virée en Touraine. Le candidat m'a proposé de l'accompagner. Je l'attends au

bout du quai, gare Montparnasse, dans le tout petit matin. Il se présente frais et dispos, déjà maquillé, arborant son inaltérable sourire. Le regard bleu est perçant. Il connaît évidemment l'impact de son physique. Il en joue forcément. J'imagine que pas mal de gens le trouvent séduisant (et en politique, c'est si rare, la beauté). J'imagine également que certains détestent son côté gentil garçon propre sur lui (en politique, c'est agaçant, le charme un peu trop travaillé). L'accolade est franche, comme à chaque fois. Il aime toucher, étreindre.

Avec lui, Pierre-Olivier Costa, que j'ai connu auprès de Bertrand Delanoë, et qui a rejoint fin janvier Emmanuel M. pour devenir son chef de cabinet. Il aurait pu, à quarante-neuf ans, rester sous les ors de la mairie de Paris et dans le confort d'un contrat à durée indéterminée, il a choisi une aventure qui le conduira peut-être à l'Élysée, peut-être à Pôle emploi. Je le retrouve tel que je le connais : affable, discret. Comme je l'interroge sur son choix, il me livre une comparaison éclairante : « Tu sais, quand je travaillais au Centre Pompidou, il y a long-temps, on se disait : c'est terrible, le Louvre a *La Joconde*, le MoMA a *Les Demoiselles d'Avignon* de Picasso, les Offices ont la *Vénus* de Botticelli, et nous, on a quoi ? On se disait : il nous faudrait une œuvre majeure pour que les gens viennent. Et puis, on s'est rendu compte que les gens venaient pour le Centre lui-même. Emmanuel, les gens viennent pour lui.»

Le candidat est également flanqué de l'énergique Sibeth du service de presse (celle-là même qui peut, sans difficulté, dire ses quatre vérités à n'importe quel journaliste), de Soazig la photographe tatouée, de Yann le documentariste qui le suit partout ainsi que d'une équipe de Channel Four qui couvre le déplacement. La petite assemblée est plutôt détendue, comme on l'est quand les vents sont favorables. Mais sans arrogance, ce qui est moins fréquent avec ces mêmes vents (comme s'ils devinaient la fragilité de leur situation).

Sur le quai, les premières interpellations, les premiers selfies.

Nous voyageons en deuxième classe (souci d'économie et d'image). Il m'invite à m'asseoir à côté de lui. Corinne Lepage, l'ancienne ministre de l'Environnement de Jacques Chirac, qui l'a rejoint quelques semaines plus tôt, est déjà installée. Elle sera son guide dans ce déplacement consacré à l'agriculture biologique.

Tout de suite, la conversation roule sur la politique. La veille, Marine Le Pen était l'invitée de France 2 et elle a établi un record d'audience. Emmanuel M. est catégorique : «Elle ne décrochera pas dans les sondages, elle a un socle. Depuis décembre, j'ai compris que celui que je devais dépasser, c'était Fillon. Cela dit, je n'avais pas envisagé qu'il s'affaisse autant. Il s'affaisse même tellement qu'on peut se demander s'ils ne vont pas le débrancher avant la fin. Jusqu'à début mars, c'est encore possible. Après, ça sera trop tard.»

Je l'amène alors sur sa gauche. Croit-il possible un accord Hamon-Mélenchon, où il n'en resterait qu'un ? «Non, tranche-t-il. Aucun ne s'effacera devant l'autre. Pour des questions de divergences politiques et pour des questions d'ego.»

J'enchaîne en évoquant Bayrou : «Il ne nous apporte pas forcément grand-chose s'il n'y va pas mais il peut nous prendre deux ou trois points s'il y va. Or la qualification pour le deuxième tour se jouera sans doute dans un mouchoir de poche. Il a donc un pouvoir de nuisance.» Corinne Lepage intervient : «Il a un problème financier. À moins de 5 %, sa campagne ne serait pas remboursée et il ne peut pas se le permettre». Elle suggère d'approcher Marielle de Sarnez. J'observe qu'Emmanuel M. entend la suggestion.

Je lui demande alors comment il sent la campagne : «La presse se retourne, analyse-t-il. *Le Monde*, par exemple, a décidé de s'attaquer à moi, c'est un signe. Il faut que j'intègre cette nouvelle donne.» Il s'exprime sans affect, avec froideur. Il poursuit : «On va présenter le programme d'ici à la fin du mois, ça va les calmer.» Puis ajoute : «Il faut qu'une mesure phare imprime dans l'inconscient français. Vivre dignement de son travail, c'est encore trop conceptuel, visiblement.»

À cet instant, le contrôleur SNCF s'approche pour vérifier les billets. On s'attend à une relative neutralité (voire à de l'hostilité) et cependant, il réclame lui aussi son selfie. Il s'explique : «C'est simple, on n'a confiance qu'en vous.» Va pour le selfie.

Sur le quai de la gare de Saint-Pierre-des-Corps, quelques élus et une nuée de caméras l'attendent. Il salue les uns et les autres, avant d'être interpellé par un jeune homme, supporter de François Fillon, qui lui demande à la volée des comptes sur son patrimoine et la transparence sur les dons reçus pour sa campagne. Il va au contact pour répondre. «Mon patrimoine a été rendu public, vous pouvez le consulter à tout moment. Pour ce qui est des dons, je répète que c'est la loi qui empêche leur publication.» Et ne peut s'empêcher d'ajouter une pichenette, comme lorsqu'il est piqué au vif : «Moi, en tout cas, je n'ai rien fait d'illégal.» Et il tourne les talons, suivi par la foule qui se met aussitôt en mouvement.

Sur le parvis de la gare, il salue systématiquement les forces de l'ordre présentes avant de s'engouffrer dans la voiture qui l'attend. Je prends place dans le véhicule de Jean-Jacques Filleul, sénateur d'Indre-et-Loire de soixante-treize ans, rallié à sa cause. Il ne tarit pas d'éloges : «J'ai travaillé avec lui au moment où il présentait sa loi au Parlement. Il a su nous écouter, prendre le temps, se mettre à notre disposition. J'ai vu un vrai social-démocrate, avec des idées claires. Le Parti socialiste, lui, n'est pas dans la clarté. Et Hamon est un piètre candidat. Il est venu s'exprimer devant notre groupe cette semaine, personne n'a été ravi par son discours. Vous me direz, c'est toujours mieux que Mélenchon, qui est l'horreur absolue. Moi, je pense qu'Emmanuel va gagner. Je ressens quelque chose de fort dans l'opinion, quelque chose que je n'avais pas ressenti depuis Mitterrand. Vous comprenez : la France est un pays bloqué ; Emmanuel, c'est notre espoir.» Venant d'un sénateur septuagénaire, ces derniers mots sont troublants.

Le convoi arrive au château de la Bourdaisière, un château Renaissance, niché au cœur de la vallée de la Loire et doté d'un parc de 50 hectares, ponctué de cèdres, de séquoias, de chênes et qui est aussi... le Conservatoire national de la tomate. Et c'est parti pour la visite d'une ferme biologique, sous la férule d'un guide survitaminé. De loin, le spectacle est édifiant : mocassins pataugeant dans la boue, bas de pantalons maculés, caméramans bousculés, notables piétinant les plates-bandes, Marie-Chantal déséquilibrées. Ce sillage de Parisiens en goguette à la campagne, marchant sur la pointe des pieds dans la glaise (je m'inclus dans le lot) a réellement quelque chose de grotesque.

À la fin, néanmoins, cela produira de belles images et notamment celle-ci : Emmanuel M. perché sur une colline verdoyante, sa silhouette découpée dans un ciel bleu (gageons que François Hollande aurait eu droit à un mont pelé et à des trombes d'eau, question de chance et de malchance).

À l'issue du périple agricole, le candidat tient un point presse, détaillant son programme écolo sans la moindre note, ni la moindre hésitation. Un journaliste, quittant la thématique du jour, l'interpelle : «D'où vous parlez?» Il s'amuse de cette férocité : «Voilà une bonne vieille question soixante-huitarde! Ce qui compte, ce n'est pas d'où on parle mais ce qu'on dit et là où on veut aller.» Il ajoute : «La droite se résume-t-elle à un hyper-conservatisme? Non. Toute la gauche veut-elle l'assistanat? Non.» Plus tard, il glissera :

« Il faut se méfier des simplifications. Rien n'est d'un bloc. » Interrogé sur le rapprochement qui se profile entre Benoît Hamon, le candidat socialiste, et Yannick Jadot, le candidat écologiste, il réplique : « Les accords d'appareil, c'est le monde d'hier ou d'avant-hier. »

Et il repart, sans perdre de temps. Direction : le magasin Carrefour de Saint-Pierre-des-Corps, où a été organisée une dédicace de son livre. Le moins qu'on puisse dire, c'est qu'on change totalement de décor : après la ferme bio, le symbole de l'ultra-consommation et du triomphe de la périphérie sur les centres-villes. Il y est accueilli en grande pompe par le directeur et une armada de sous-directeurs empressés. Scène drolatique : le candidat a besoin de faire un passage par les toilettes, on l'y guide, il s'y enferme pendant que dehors patientent trente personnes contemplant leurs chaussures, dans des effluves de paëlla (le stand traiteur se trouve juste en contrebas de la passerelle où nous sommes immobilisés).

On a installé un promontoire au milieu des « promos du mois » ainsi que des barrières pour fluidifier la file d'attente considérable qui l'attend, ouvrage à la main. Il y prend place et signe, sans faiblir, une heure durant, toujours affable, toujours à l'écoute, acceptant tous les selfies. Il me dit : « Il faut venir ici, au contact.

Les gens à qui je parle ne sont pas ceux que je rencontre dans les librairies traditionnelles.» Comprendre : ici, c'est le peuple, c'est le réel. Dans la foule qui patiente, on loue «son énergie, sa jeunesse, sa proximité» et cet «air frais» qu'il ferait souffler sur la politique. Des officiers de sécurité veillent.

À 14 heures, il est temps de regagner la capitale. Dans le train du retour, pour qu'aucune minute ne soit perdue, il donne deux interviews (à un média étranger et à une journaliste parisienne qui l'interroge sur... sa «dimension christique» : le voit-elle en gourou?).

À Montparnasse, il me propose de monter dans sa voiture : «Viens, on va finir notre conversation au QG.» À la radio, une chanson de Brel. Il mentionne aussitôt qu'il aime Brel. Mais aussi Ferré, Brassens, Barbara, Aznavour. Je me moque un peu de lui : «C'est très respectable mais c'est un peu des goûts de vieux, non?» Il sourit : «Oui, j'assume.» Je cherche à savoir si, lui qui est de très loin le plus jeune des candidats, peut aussi avoir des inclinations plus modernes. À trois de mes suggestions, j'obtiens une approbation : Christine and the Queens, Daft Punk, Adele; on est sauvés.

Quand nous entrons dans son bureau, je lui fais remarquer qu'il n'a rien mangé de la journée. Je me demande comment son organisme tient. Du reste, je me suis toujours demandé comment les candidats à une présidentielle réussissaient à tenir le rythme infernal qui leur est imposé. Comment leur corps ne se rappelle-t-il pas à leur bon souvenir ? Il dit : « Brigitte et moi, on part en Normandie ce week-end. Le secret, c'est de s'aménager des parenthèses. »

La conversation roule sur les soutiens qui pourraient se déclarer dans les prochains jours, maintenant que les sondages semblent lui assurer la qualification au second tour. Il n'hésite pas : « À gauche, je n'en espère que deux : Bertrand Delanoë et Jean-Yves Le Drian. » On comprend qu'il ne les a pas encore convaincus. J'enchaîne : « Ton élection devient une hypothèse plausible. Tu penses déjà à la suite ou non ? Le gouvernement ? L'Assemblée ? » Il se prétend confiant : « Si je suis élu, je disposerai d'une majorité parlementaire. Quant au gouvernement, j'aimerais bien une femme Premier ministre. » Je songe que, décidément, un quinquennat Macron ne ressemblerait en rien à ce que nous avons connu.

Son assistante passe une tête à cet instant précis : le prochain rendez-vous est déjà arrivé. Je prends congé. Il me sourit : « On continue. On ne faiblit pas. »

Évoquant l'engouement qui accompagne chacun des déplacements de son époux, et se moquant gentiment de sa fameuse «dimension christique», Brigitte me lance, dans un éclat de rire : «J'ai parfois l'impression d'être mariée à Ségolène Royal!» Je lui dis : «La formule est drôle mais je serais toi, j'éviterais de la répéter en public.»

Décidément, cette élection devient chaque jour plus romanesque. Voici que la Russie de Vladimir Poutine est soupçonnée de vouloir interférer dans le processus électoral français, en favorisant Marine Le Pen (comme elle aurait favorisé Donald Trump en 2016) et en nuisant à Emmanuel Macron, devenu un favori intempestif. Il faut reconnaître que certains faits sont troublants. D'une part, des milliers d'attaques informatiques visent les ressources numériques, les bases de données, les sites d'En Marche! et elles sont toutes en provenance des frontières russes. D'autre part, deux grands médias, *Russia Today* et *Sputnik*, qui appartiennent à l'État russe, à qui ils obéissent, le doigt sur la couture du pantalon, font leur quotidien de la diffusion, de la propagation de rumeurs et fausses nouvelles concernant le candidat. Parfois, la réalité, avec ses effluves de guerre froide et ses officines louches, a plus de talent que la fiction. Parfois, aussi, elle fait froid dans le dos.

15 février. Déjeuner avec Bertrand Delanoë. Il est plus pessimiste que jamais (et même «paniqué»). La perspective de l'élection de Marine Le Pen en mai lui semble de plus en plus plausible : «Aujourd'hui, elle se situe autour de 30 % des voix. Face à Hamon, face à Fillon, au deuxième tour, elle gagne. Face à Macron, je ne sais pas.» Et justement, Emmanuel M. lui inspire quelques flèches bien décochées : «J'ai écouté son meeting de Lyon. C'est formidable. Je suis d'accord avec tout. Mais concrètement, il fait quoi quand il est président? Quand on dit que l'époque est à la gravité, il faut donner du contenu et des réponses. Quand on parle de justice sociale, il faut donner du contenu et des orientations. J'ai lu aussi l'article dans *Le JDD*. La dimension christique, c'est n'importe quoi. Emmanuel est grisé et victime de sa griserie. Il est en apesanteur, ça accroît la volatilité de l'électorat. Et puis il est trop dans la tactique électorale, il manque de sens politique.» Il a gardé le meilleur pour la fin : «Emmanuel écoute, c'est vrai, mais il ne fait rien de ce qu'on lui dit. De ce point de vue, il me fait penser à François Hollande.» Énervé, l'ancien maire de Paris.

Si Emmanuel M. comptait le rallier à sa cause, il a encore un peu de chemin devant lui.

Coup de fatigue au pire moment ? Alors que les intentions de vote sont censées se cristalliser, Emmanuel M. accumule les bourdes. D'abord, il qualifie la colonisation de « crime contre l'humanité ». S'il faut évidemment condamner un processus qui consistait notamment à asservir les peuples et à piller les richesses, le qualificatif semble à beaucoup excessif. De surcroît, en se plaçant du côté des victimes, de « *l'Arabe [...] proie naturelle du soldat* », comme le décrivait Maupassant dans *Bel-Ami*, il range mécaniquement les Français dans le rôle de l'oppresseur (ce qu'ils étaient pour partie mais n'ont pas envie qu'on leur rappelle). Et surtout, il réveille une vieille blessure. Ensuite, comme si ça ne suffisait pas, il explique que les opposants au mariage pour tous ont été « humiliés », oubliant que les homosexuels ont été confrontés aux pires injures et aux amalgames les plus insupportables lors de cette interminable séquence. Et là encore, il rouvre une fracture. Et déclenche une polémique. Il devrait apprendre à tourner sept fois sa langue dans sa bouche ou à ne pas répondre à tous les micros qui se tendent.

Brigitte m'appelle et commence par ces mots : «Avis de tempête !» Elle a bien compris que son mari se trouvait en difficulté et ne cherche pas à minimiser les dégâts. Elle fournit une explication : «Tout repose sur ses épaules, tout. Mais ce n'est pas un surhomme !» Il courrait en permanence le risque de la surchauffe, donc de la faute. D'autres blâment une partie de l'entourage qui fournirait de mauvais conseils (il est exact que ledit entourage donne parfois le sentiment d'être déconnecté du réel et de fonctionner en circuit fermé). À la fin, Brigitte convient que son époux devrait s'exprimer plus simplement et sur des sujets plus consensuels. Cela étant, c'est dans les tempêtes qu'on juge les capitaines, paraît-il. Les prochains jours diront s'il s'est dépêtré de celle-ci.

À Toulon, dans un meeting dont les accès sont bloqués par des nervis du FN (lesquels montrent ainsi leur vrai visage : le coup de force et le désordre) et par des pieds-noirs (furieux de la sortie sur la colonisation), Emmanuel M. ne présente pas d'excuses mais demande pardon à ceux qu'il a blessés, avec un «Je vous ai compris, je vous aime» un peu baroque (pour ne pas dire : porteur d'un contresens historique). Pas sûr que l'élan sentimental éteindra les incendies. Mais surtout le tour de passe-passe va alimenter le procès en opportunisme qu'on instruit à son sujet et les doutes sur sa colonne vertébrale idéologique. Les dommages pourraient n'être pas que conjoncturels.

Signe qu'il a mesuré le péril, Emmanuel M. m'envoie des messages pour me demander mon ressenti, lui qui trace généralement sa route sans s'occuper des éventuels états d'âme des uns et des autres. Je lui réponds que ses propos étaient maladroits, déséquilibrés, et que se rattraper aux branches constitue en général un spectacle disgracieux. Il encaisse.

Trois semaines plus tard, je l'interrogerai sur la séquence. Il me livrera alors son analyse : «Ça en dit long sur la situation de la société française. Cette histoire nous bloque, elle crée de la frustration dans les banlieues, elle a construit de l'irrédentisme, une incapacité à avancer. Reconnaître les souffrances des uns se fracasse sur celles des autres.»

Il en profitera pour attaquer ses adversaires, ce qu'il fait peu en public : «Le terreau de l'extrême droite, c'est la frustration pied-noir, j'ai d'ailleurs reçu des centaines de mails d'insultes en provenance de ce camp. Quant à la droite, elle se radicalise, elle joue de l'insécurité historique. »

Mais il en tirera une leçon politique : « La polémique prend parce qu'à ce moment-là, il n'y avait plus de rythme dans ma campagne. J'avais achevé la phase terrain, pas encore présenté le programme. Et j'avais un peu égaré mon côté transgressif, disruptif, qui fonde une partie de mon identité politique. Les gens perdaient le fil de là où je les emmène. »

Après cette séquence ratée, je rencontre Brigitte. Je la sens désorientée, nerveuse. Elle me confie, dans un sourire : « Mais je suis la seule à être comme ça ! Tu le verrais, lui : il est placide. » Comme j'en doute, j'interroge le premier intéressé. Il confirme : « Je ne suis pas inquiet. Ça me conforte simplement dans la conviction qu'il faut travailler sur un programme fort. »

Et Bayrou se rallia ! Décidément, cette élection ne ressemble à aucune autre. À tous points de vue, elle est déroutante, inédite et démontre une fois de plus qu'il ne sert à rien de raisonner par analogie. D'ailleurs, tous les prétendus experts (ceux-là mêmes, par exemple, qui affirmaient en direct, quinze minutes avant son renoncement, que le maire de Pau serait bien évidemment candidat) feraient bien de se la jouer modeste. Et elle corrobore ce qu'on avait observé après la défaite de Sarkozy et de Juppé, puis le retrait de Hollande : toute une génération politique est mise à la retraite. Après une semaine calamiteuse, voici donc que les planètes s'alignent à nouveau pour Emmanuel M. Était-ce la raison secrète de son apparente placidité ?

Je lui demande comment ce ralliement si surprenant a pu se produire. Il me raconte l'histoire en détail : « On se voit en juillet 2016, on se jauge, ça ne se passe pas bien. En septembre, dans les médias, il me tape dessus. Je suis échaudé. Mais nos entourages gardent le contact. Huit jours avant qu'il annonce sa décision, on se rencontre chez moi. On a une discussion de fond, politique. On partage la gravité du moment. Je lui dis : "Je ne veux pas être le leader du centre", ça le débloque, cette fonction est la sienne. Il m'appelle au téléphone quand je me trouve à Londres. On se parle trois quarts d'heure. Il me présente les points qu'il souhaite voir intégrés dans mon projet, je les accepte sans difficulté. En réalité, il voulait être considéré, et être reconnu comme un partenaire, mais il n'a pas cherché à s'installer en colistier, de toute façon il sait que ça ne marche pas. Son annonce devant la presse a été un discours très fort. Au fond, il a fait ce que Sartre appelle un "geste", c'est-à-dire qu'il a pris une décision qui le dépasse. Cela me donne un nouvel élan.»

La fachosphère, qui a mesuré le péril, se lâche contre lui. Inondant les réseaux sociaux, elle moque «*le pion du système*». Quand on a les fachos contre soi, c'est, en général, bon signe. Par ailleurs, ces attaques l'installent comme le seul concurrent dangereux. Encore une bonne nouvelle pour lui.

Que je vous dise : tandis que je suis cette campagne, je me lance également dans l'écriture d'un nouveau livre, je mets la dernière main à un scénario et je publie mon dix-septième roman. Trop à la fois ? Probablement. Mais la vérité, c'est que j'ai besoin et que je m'efforce de conserver une distance avec les soubresauts de la politique, et l'écriture me le permet, parce qu'elle isole, parce qu'elle ramène à l'essentiel; la fiction me le permet parce qu'elle donne un autre relief à l'actualité; l'accompagnement de *Arrête avec tes mensonges*, les rencontres en librairie, en bibliothèque, dans les lycées, les voyages en train maintiennent un contact avec une autre réalité que celle de la campagne.

En m'obligeant précisément à un peu de recul, je me rends compte que je fréquente Emmanuel M. depuis des mois, que nous nous voyons régulièrement, que nous échangeons des messages presque quotidiennement, que son entourage m'est devenu familier, que je m'efforce de décrypter sa pensée et d'entendre ses détracteurs, voilà des mois que j'écris sur lui, je devrais donc aujourd'hui le connaître et je m'aperçois qu'il demeure par beaucoup d'aspects insaisissable, que je ne parviens pas réellement à déterminer ce qu'il éprouve, ce qui le constitue. Il y a chez lui quelque chose du sphinx version Mitterrand, une capacité à ne jamais se dévoiler totalement, une part irréductible de mystère.

Ceci aussi : il est très à l'écoute, très demandeur d'observations, de suggestions, cependant il dévie très rarement de son intention initiale ou de son intuition ; de même, il est entouré, il accorde de l'importance à ses lieutenants, mais, *in fine*, il décide seul.

Allez, j'ajoute encore un paradoxe : voilà un homme qui séduit tous ses interlocuteurs, leur sourit, plante son regard dans le leur, un homme qui répond à leurs messages, leur donnant l'impression qu'ils comptent, un homme qui se montre tactile, chaleureux, affectueux, accessible, et cet homme-là, on ne lui connaît pas d'amis.

Reprenons le cours des choses : la fin du mois de février approche et Emmanuel M. n'a toujours pas dévoilé de programme, ce qui suscite évidemment railleries et impatiences et constitue, reconnaissons-le, un précédent dans une joute présidentielle. En règle générale, les candidats se présentent avec dans leur besace un lot de promesses, rebaptisées engagements, qu'ils s'empresseront de ne pas tenir dès lors qu'ils seront portés au pouvoir, arguant que les inattendus désordres du monde les obligent à des révisions déchirantes. Cela étant, les Français restent attachés à ce rituel, auquel pourtant ils ne croient pas. Emmanuel M. a choisi, lui, de ne rien faire comme tout le monde et fait donc durer le (dé)plaisir. En guise de mise en bouche, il révèle néanmoins dans les colonnes des *Échos* les grandes lignes de son programme économique. À en juger par les réactions des experts, il propose un plan « équilibré » – c'est l'adjectif qui revient le plus souvent –, manière peut-être de laisser entendre qu'il est tiède et construit pour provoquer le moins d'hostilité possible. On prétend aussi qu'il est « réaliste », parce que fondé sur des hypothèses de croissance plausibles (à la différence de celles avancées par ses principaux concurrents) et la volonté de contenir les déficits (là encore, à rebours des autres engagés dans la course). Cependant, ce n'est pas cette annonce qui va retenir l'attention, mais un addendum effectué quelques heures plus tard, à la radio. À la presse écrite, les choses barbantes. Aux grands médias populaires, le spectaculaire. Emmanuel M. propose ni plus ni moins que la suppression, pour 80 % des Français (les moins aisés), de la taxe d'habitation, impôt injuste et maudit, s'il en est. Et on ne parle plus que de ça (l'homme, donc, n'est pas dénué de sens politique). Il est trop tôt pour déterminer si cette annonce choc aura le même impact que la taxation à 75 % des hauts revenus, sortie de son chapeau par François Hollande en 2012, mais nul doute qu'elle est un marqueur, qui plus est de gauche, ce qui n'est pas mauvais à prendre quand on est accusé soir et matin d'être un affreux libéral. Joli coup.

Je lui envoie un SMS pour l'en féliciter. Il me répond du tac au tac par un «*Héhé*», suivi d'un smiley. Content de lui, le sale gosse (s'il est président quand ce livre sera publié, nul doute qu'il s'en trouvera pour me parler de ce «sale gosse» et me reprocher mon manque de déférence, héhé).

Coïncidence, l'un de mes amis, finalement informé de ce projet littéraire, me dit : «Mais tu arrives à rester objectif?» Je lui rétorque que ce n'est absolument pas mon intention. Je revendique la subjectivité, j'entends porter un regard sensible sur ce qui advient. Il poursuit : «Mais par rapport au bouquin de Reza sur Sarko? à celui de Binet sur Hollande?» Je dis que j'avais aimé le Reza mais que je m'en souviens mal et que je n'ai pas lu le Binet. Il insiste : «Mais tu t'inscris dans un genre?» Je tranche : «Il ne faut justement pas en faire un genre.»

Les sondages sont de plus en plus flatteurs. En cette fin février, une étude lui accorde 25 % des intentions de vote (à deux points derrière Marine Le Pen, et à six points devant François Fillon). Brigitte, qui a pris l'habitude de m'appeler pratiquement chaque jour, s'épanche : «Jusque-là, au fond, j'ai toujours refusé d'y croire, ou plutôt j'ai toujours refusé de me projeter. Mais avec tous ces sondages, je comprends que ça devient plausible, possible, et ça me fiche la trouille, tu ne peux pas savoir. Si ça arrive, est-ce que je saurai faire ? Tu imagines tout ce que je vais devoir changer et apprendre ? »

Elle ne s'en ouvre pas à moi mais, à entendre ses inquiétudes, je me demande si elle a lu ce qu'Anne Sinclair dit d'elle dans un livre à paraître et si elle en est affectée : « *N'ayant pas été à la cérémonie pour Michel Rocard aux Invalides, je veux me faire confirmer ce qu'on m'a rapporté : que Brigitte Macron – qui vient encore une fois de parler à* Closer *– est arrivée dans une tenue trop habillée, avec des stilettos qui, sur les pavés de la cour d'honneur où l'hommage de la République était solennel, avaient davantage un air de Fashion Week que de recueillement devant le leader de gauche disparu. Manuel Valls gardera le silence pour ne pas ajouter à la rumeur que Brigitte Macron, ambitieuse et pressée, serait l'un des problèmes d'Emmanuel.* »

Ce portrait au vitriol concentre le plus détestable : le désir de nuire (« *je veux me faire confirmer* »), la fausse information (« *qui vient de parler à* Closer »), la misogynie (qui n'est pas l'apanage des hommes), le crédit apporté aux ragots. Il est vrai qu'avoir été l'épouse de M. Strauss-Kahn pendant plus de vingt ans vous qualifie pour donner des leçons d'élégance.

Je recommande à Brigitte d'être fière de ce qu'elle est et de ne pas céder à l'anxiété.

Elle sourit : «Je pense à mon père, ça doit l'amuser là-haut, cette situation. Je pense à mon père dans les moments importants ou délicats. On fait tous ça, non ?»

Et comme si la perspective d'une victoire la conduisait à revisiter le chemin parcouru, elle se remémore Emmanuel en jeune homme : «Il était chevaleresque, je ne peux pas mieux dire.» Puis s'efforce de résumer vingt ans de passion commune : «Je ne me suis pas ennuyée une seconde.» Et regarde l'avenir : «S'il l'emporte, j'aurai la confirmation qu'avec lui, décidément, tout aura été hors du commun.»

Quelques jours plus tard, je reparlerai à Emmanuel M. de ce jugement porté sur son épouse. Il sera net, tranchant : «C'est de la médiocrité qui blesse. C'est colporter les mesquineries de M. Valls et de son entourage. J'ai rompu tout commerce avec ces gens.»

(J'ignore s'il est rancunier mais il est certain qu'il n'oublie rien. Et il ne croit pas non plus que le temps doive nécessairement fabriquer du pardon.)

Les ralliements se multiplient : l'icône Dany Cohn-Bendit, l'écolo François de Rugy, le vallsiste Christophe Caresche, ou encore le

« général courage » de la gendarmerie, Bertrand Soubelet, rien que ces derniers jours de février. On dirait que l'échappée solitaire commence à se faire rassemblement.

Le courtisé me confie ce qu'il pense de ce mouvement : « Ce sont des digues qui cèdent. La recomposition est en marche. C'est en acte ce qu'on voulait faire depuis le début. Mais je distingue l'allié politique (Bayrou), ceux qui décident de s'engager et prennent une part active (Rugy) de ceux qui expriment un soutien. Ils sont et seront traités différemment. »

Posons-nous. Si les électeurs de gauche commencent à se dire que Benoît Hamon n'a aucune chance d'accéder au second tour ou que, s'il y accédait, il serait battu par Marine Le Pen, certains d'entre eux risquent d'entamer une transhumance vers le candidat d'En marche ! Si les électeurs de droite font le même raisonnement avec François Fillon, l'hémorragie se produira de la même manière. Enfin, si Emmanuel M. continue de se rapprocher de Marine Le Pen dans les intentions de vote, et qu'il semble envisageable qu'il la double et la prive de la première place, des réticents peuvent voter utile. Bref, tout concourt, à ce stade, à une consolidation de sa position.

Lorsque je me livre à ce genre de pronostics, S., mon compagnon, me sermonne. Plus généralement, il considère que je m'investis trop, que je consacre trop de temps, trop d'énergie à cette aventure. Il dit que notre vie à tous les deux compte davantage que ça. Il a raison, bien entendu. Je ralentis aussitôt. Et inévitablement je finis par me laisser rattraper par le tourbillon.

(Mais lui-même se laisse prendre au jeu. Il m'accompagne parfois au QG, ou en déplacement. Il converse avec le candidat. Il en rapporte cette impression : «Quelle que soit la situation, ses mots sont pesés, son comportement adapté. C'est embêtant à dire parce qu'on aimerait qu'il penche, peu importe le côté. Le savoir en difficulté, perdre pied, reprendre la main. Mais non, rien n'y fait, il demeure droit, stable, mesuré. À chaque problème, sa solution.» Et Brigitte le charme : «On se sent à l'aise avec elle, il n'y a pas de barrière, pas de filtre. Et elle est absolument une femme de son temps.»)

Mars

François Fillon, en une adresse surréaliste et, à certains égards, sépulcrale à la presse, annonce qu'il est convoqué par les juges d'instruction aux fins de mise en examen dans l'affaire du Penelope Gate et en tire comme enseignement qu'il doit absolument maintenir sa candidature (après avoir expliqué devant les Français qu'il se retirerait dans cette hypothèse)! S'ensuit une attaque en règle contre les magistrats, inquiétante dans la mesure où elle émane d'un candidat appartenant au champ républicain et à une famille qui a longtemps gouverné la France. D'ordinaire, ce genre de philippique appartient au Front national, c'est dire l'étendue du désarroi.

Écoutant François Fillon, je pensais à Andreas Lubitz, le pilote de la Germanwings qui a volontairement précipité son Airbus A320 contre un flanc de montagne en 2015, causant le décès de cent quarante-neuf personnes. Je me disais : on peut vouloir se suicider mais pourquoi entraîner dans la mort tant de ses congénères par la même occasion? François Fillon est tout bonnement en train de condamner son camp à la défaite. Emmanuel M. et Marine Le Pen peuvent se frotter les mains même s'ils s'apprêtent à triompher sur des décombres.

Emmanuel M. me livre son impression : «Bon, là, on a passé un seuil». À moi de deviner s'il veut dire : «dans le n'importe quoi» ou «dans la consolidation de ma candidature».

Brigitte, quant à elle, est, comme beaucoup de gens, dans la sidération. Pour autant, elle refuse de voir une bonne nouvelle dans l'obstination de François Fillon et flaire plutôt un coup fourré : «Si les juges le mettent réellement en examen le 15 mars, il peut se retirer et la droite saisir le Conseil constitutionnel pour faire reporter la présidentielle, puisqu'on sera seulement à deux jours de la clôture des parrainages.» Depuis le début, le scénariste de cette campagne a certes du talent mais là, il exagérerait...

Au matin du 2 mars, comme si de rien n'était, Emmanuel M. prépare le discours liminaire de la conférence de presse au cours de laquelle il va annoncer son programme. On se parle. Il est concentré mais ne peut s'empêcher – comme souvent dans les moments importants – de se montrer facétieux, alignant des formules à la Audiard. Manière d'évacuer la pression ou nature profonde ?

Au-delà des diatribes attendues et formatées émanant des opposants, le projet est plutôt bien accueilli. Il est jugé équilibré, réaliste, à la fois social et libéral. Ce type est un funambule. Il me corrige : «Je préfère que tu dises que je suis une irruption du neuf.» Un peu jargonnant, non ? Il était meilleur en Michel Audiard.

Et, pendant ce temps, le psychodrame de la droite se poursuit, saturant l'espace médiatique, occultant tout débat d'idées, toute confrontation de valeurs. Il pourrait s'apparenter à une tragédie shakespearienne avec des tentatives de meurtre (politique), des trahisons, des renversements d'alliances, des menaces, des foules hurlantes. Mais il semble tourner à la farce courtelinesque, avec des portes qui claquent, des cocus, des rumeurs perfides, des paroles données main sur le cœur et reprises piteusement. Pauvre démocratie.

Après la manifestation du Trocadéro en soutien à François Fillon, montée par les réacs de Sens commun, et le renoncement spectaculaire d'Alain Juppé annoncé depuis sa bonne ville de Bordeaux, Brigitte m'appelle : «*House of Cards*, à côté, c'est de la gnognotte ! Pour le romancier que tu es, c'est du pain bénit. La réalité est plus improbable que n'importe quelle fiction.» Passé le trait d'humour, elle confie son inquiétude : «Je suis mal. Je ressens une telle violence. Et les Français se prennent tout ça dans la figure. On les jette dans les bras de Mme Le Pen.» Je lui fais remarquer que son mari va sans doute bénéficier également de ce dégoût de la politique qui grandit et que son élection devient concevable. Elle persiste dans le déni : «Dans ma tête, c'est encore impossible. Et qui sait ce qui va encore se passer ?»

(Je sais aussi d'où vient cette réticence. Voilà une femme qui a conquis sa liberté, s'est extirpée de son milieu bourgeois, d'un mariage prévisible, a échappé par amour à une forme de déterminisme, et qui, depuis des années, savoure cette délivrance, cette émancipation, et qui va peut-être exercer demain une fonction, celle de première dame, exigeant de la retenue, une autocensure, le respect d'obligations, de devoirs. Elle pourrait avoir l'impression de revenir au point de départ.)

En tout cas, François Fillon est dorénavant assuré de rester le candidat de la droite. J'en profite pour demander à Emmanuel M. s'il est surpris par ce dénouement. Il me répond avec un mélange de froideur analytique et de cruauté : «Je n'ai pas pensé une seule seconde qu'il abandonnerait. D'abord, le type est résilient : il a quand même été le Premier ministre de Sarko, je te rappelle ! Ensuite, il ne s'est pas construit dans la centralité de son mouvement, c'est un apparatchik, certes, mais marginal. Enfin, son intérêt, c'était de tenir, sinon il n'était plus qu'un justiciable. Mais surtout, c'est typique de ce qu'il est : un bourgeois de province du XIXe siècle, il ne voit pas le problème. »

Le jet d'éponge de Juppé ne l'a pas étonné non plus ? « Non, tu sais, c'est très dur de revenir quand des millions d'électeurs dans une primaire t'ont jeté. Paradoxalement, il aurait pu être un recours s'il ne s'était pas plié à l'origine à cet exercice. Et puis il s'est fait piéger par Sarko. Sarko comme toujours s'est montré habile. Comme toujours, il a manqué de hauteur. »

Bertrand Delanoë m'appelle pour m'apprendre qu'il s'exprimera le lendemain matin sur France Inter. Il sort enfin de son silence. Il dit : « L'heure est grave. Mme Le Pen peut gagner cette élection. Le seul qui soit en mesure de la battre, me semble-t-il, c'est Emmanuel. Je vais donc annoncer que je voterai pour lui. » Il prononce des mots qui lui coûtent : « Comprends-moi bien, ce n'est pas difficile de voter pour Emmanuel, d'autant que je trouve dans son projet beaucoup de choses qui me conviennent. Non, c'est douloureux de quitter, d'une certaine manière, la famille socialiste, c'est ma famille depuis plus de quarante ans. C'est une telle souffrance. Je ne me reconnais plus dans ceux qui la représentent mais je continue d'aimer passionnément ses électeurs. Certains, sans doute, parmi eux, ne comprendront pas mon choix. Mais je l'ai fait seul, en mon âme et conscience. »

Je sens Emmanuel M. très touché par ce soutien. Il me glisse : « Pour quelqu'un comme moi, qui ai toujours été regardé comme un métèque en politique par tous les caciques, les mots, la gravité, l'engagement de Bertrand, c'est un moment que je n'oublierai pas. Ça te leste quand des personnalités comme lui te reconnaissent, il est une conscience, il a une histoire. Cela m'a beaucoup ému et en même temps, cela m'oblige plus encore. »

9 mars. Le candidat va tenir meeting en Gironde, à Talence. Je l'accompagne une nouvelle fois. On voyage, bien sûr, en deuxième classe : toujours la frugalité et la proximité. Je suis assis dans un « club quatre » en face de Brigitte et lui, et à côté de Sibeth, l'attachée de presse. Non loin de nous, l'équipe de *Quotidien*, l'émission de Yann Barthès, qui couvre le déplacement, paraît aux aguets. Pour se parler, on s'assure que la voie est dégagée,

c'est-à-dire qu'aucune perche micro ne traîne au-dessus de nos têtes. Ça tombe bien, Emmanuel M. est en verve à propos de ses concurrents : «Quand tu regardes, dans la campagne de Fillon, dorénavant, il ne reste que des ultras. On a assisté à une épuration. Qui plus est, il devient un succédané de Le Pen, en allant sur le terrain du populisme. Mais il n'est pas mort. Il a un étiage de 20 %. Je pense toujours que ça se jouera dans un mouchoir de poche. Il faudra garder la cohérence jusqu'au bout.»

Songe-t-il à brandir le vote utile, à s'ériger en seul rempart contre Marine Le Pen, pour s'assurer la qualification au deuxième tour ? «J'ai envie que les gens formulent un vote positif avant tout. Je ne veux pas manier la peur.»

Cela étant, pour contrer le FN, il entend retourner l'opinion : «Il ne faut pas laisser la fierté française à l'extrême droite. Les vrais patriotes, c'est nous. Eux n'ont à faire valoir qu'un nationalisme étriqué.» Le soir même, il testera pour la première fois cette punchline devant les militants et récoltera un beau succès.

J'en reviens à l'élection dont nous ne sommes plus séparés que par quarante-cinq jours. Que redoute-t-il ? Il n'a pas une seconde d'hésitation : «La volatilité de l'électorat. Il faut densifier. Rassurer. Dire aux gens qu'ils peuvent être confiants avec ce qu'ils connaissent pourtant moins.»

Je lui demande si le puissant désir de renouvellement que les Français semblent exprimer n'est pas sa meilleure arme. Il relativise : «Ça ne se joue pas sur le dégagisme. Les Français sont beaucoup plus paradoxaux. Le coup de balai intégral, ce n'est pas sérieux. Même Napoléon, à côté de ses jeunes maréchaux d'Empire, est allé piocher dans l'Ancien Régime.» (Il l'aime, décidément, cette référence.)

À l'inverse, qu'est-ce qui peut le faire perdre? Là non plus, pas d'hésitation : «Moi. Si je perds le fil de ce qu'on a créé depuis le début. Je ne crains pas l'impact de circonstances extérieures. Je te l'ai dit, je suis très hégélien : je crois à la ruse de l'histoire. Tu portes quelque chose qui te dépasse, il faut en permanence rester à la bonne hauteur».

Je me tourne alors vers Brigitte. Elle se montre posée : «S'il échoue, ce n'est pas un drame. La vie continuera.» Manière de conjurer le mauvais sort? Secret espoir de celle qui redoute un trop grand bouleversement?

On finit par s'éloigner, elle et moi, pour le laisser avec les journalistes. Tandis qu'on se dirige vers la voiture-bar, elle plaisante encore : «Tu as vu, on ne s'ennuie jamais avec lui.» Je lui fais remarquer que, pourtant, il a changé, me semble-t-il. Elle confirme : «C'est vrai : il a gagné en gravité.» Est-ce pour cette raison qu'elle s'accroche à une forme de légèreté (trompeuse)?

En gare de Bordeaux Saint-Jean, un cortège de voitures nous attend. Le ballet est bien réglé. Cette équipe a l'air joviale mais elle a finalement le sens de l'organisation. On fonce vers Talence, un véhicule de police banalisé nous suit. Sur place, on entre backstage, on emprunte des couloirs froids, on monte en loge. Le candidat ne répète pas son discours pour la bonne raison qu'il n'en a pas écrit. Il assure avoir en tête exactement ce qu'il veut dire, et être plus à l'aise quand il s'exprime sans notes. Il plaisante, réclame des Fisherman's Friends, ces pastilles rafraîchissantes à la menthe forte, se fait maquiller, tout en consultant son téléphone. BFM TV rapporte que Jean-Yves Le Drian, le ministre de la Défense, serait sur le point d'annoncer son intention de le soutenir. Il dit : «J'incarne le contraire de la continuité, je prépare l'alternance mais Le Drian, c'est un poids lourd, un atout considérable, lui je le garderai, et c'est le seul que je garderai.» Il reprend un Fisherman's Friends.

Pendant le meeting, je suis installé à côté de Jean-Marc Dumontet, le producteur de théâtre, qui, tout au long du discours, prend des notes sur un iPad, comme un instituteur corrige les fautes dans la marge.

Pour une fois, Emmanuel M. ne fait pas trop long. A-t-il fini par comprendre que, passé une heure, on s'ennuie et on n'écoute plus ?

Au retour en loge, il demande un débriefing. Chacun y va de son compliment. Dumontet, à l'écart, ne dit rien, attendant d'être seul avec l'intéressé : à l'évidence, pour lui, pas mal de choses sont à revoir. La musique d'entrée ne va pas, le candidat ne parle pas assez de lui, ça manque d'incarnation, de concret. Il n'a pas tort. Plus tard, il me confiera : «Je ne sais pas à quoi servent mes observations puisque, à la fin, il n'en fait qu'à sa tête.»

Le cortège repart, en direction d'un bar à tapas privatisé pour l'occasion. Une trentaine de personnes ont été conviées : des responsables d'En Marche!, des élus, des membres de la société civile, des «petites mains». Mais Emmanuel M. commence par se retirer dans un coin en compagnie d'un de ses fidèles lieutenants, afin de prendre connaissance des dernières nouvelles. Les observant tous les deux à la dérobée, en train d'échanger des messes basses, je me fais une réflexion dans laquelle j'englobe les cinq ou six personnes qui constituent son premier cercle : voilà des gens qui le nourrissent et le protègent, soucieux de tenir à distance les importuns, les chronophages, les mauvais conseils, afin qu'il ne soit pas diverti de l'essentiel mais quelquefois ils n'échappent pas au travers de vouloir le garder pour lui, jaloux de leur pouvoir, de leur influence, enivrés peut-être de leur intimité avec l'«élu». L'aparté s'achève : le candidat revient parmi l'assemblée, tout sourire, il serre des mains longuement, lourdement, ou il étreint. Et il écoute les doléances comme les encouragements sans broncher, mais le regard perçant.

Je discute à l'écart avec Ahmed, un bénévole, buraliste jovial, doté d'un fort accent du Sud, d'origine marocaine, musulman pratiquant, qui joue un peu les gardes du corps de l'épouse du candidat. Il me lance : «Brigitte, elle m'a fait lire *L'Étranger* de Camus, vous savez. Bon, j'ai pas aimé, il n'y a pas de fin. Là, je lis le bouquin de l'avocat Dupont-Moretti, c'est vachement bien.» Il évoque la campagne et ce qui serait pour lui une fin en apothéose : «Je n'ai jamais bu une goutte d'alcool de ma vie mais si Emmanuel gagne, le 7 mai, je m'autoriserai une coupe de champagne.» Quand on quitte le bar à tapas, il est presque minuit. Le fond de l'air est tiède.

Le lendemain, parce que cette campagne ne connaît aucune trêve, on franchit un cap dans l'abjection. Des militants Les Républicains croient bon de publier sur leur site officiel un visuel représentant Emmanuel M. avec un nez crochu (suivez mon regard), un cigare et portant chapeau haut de forme. Tous les codes de l'iconographie antisémite des années trente en une seule caricature ! Le philosophe Jean-Luc Nancy dit sa nausée : «*C'est devant nous, c'est visible, ce n'est même pas une image, c'est une parole, c'est un discours, c'est une proclamation. On traite quelqu'un de sale banquier juif, publiquement et à des fins électorales républicaines déclarées.*» Le combat politique autorise apparemment toutes les bassesses.

Emmanuel M. reçoit, par ailleurs, sur sa boîte mail personnelle un message sans ambiguïté : «*J'ai un point commun avec tous les islamistes. J'aime la mort au combat. Je n'ai aucune peur de la mort ou de la prison. Moi je mourrai comme un homme.*» S'ensuivent des menaces très claires de s'en prendre à lui, à sa personne. Déjà, il y a quelques jours, le QG avait dû être

évacué parce qu'un courrier y avait été reçu,
contenant de la poudre blanche. La sécurité est
renforcée autour du candidat. Il prétend n'être
pas impressionné : fanfaronnade, fatalisme ou
courage ?

Peut-être, en réalité, le véritable danger est-il
ailleurs, et il est là depuis la première minute,
il est politique : il tient dans l'alliance des
contraires. Maintenant qu'il est rallié à la fois
par Robert Hue, ex-patron du Parti commu-
niste français, et par Alain Madelin, ancien
membre d'Occident et chantre du libéralisme,
les contradictions inhérentes à un spectre large
vont apparaître plus crûment encore. Comment
va-t-il les gérer, pour le temps qui le sépare du
premier tour ? La question se pose d'autant
plus qu'Emmanuel M. cède trop souvent au
péché mignon de la synthèse, ce poison origi-
nel du hollandisme. Il ne va pas pouvoir dire
tout et son contraire, en se contentant de placer
un « mais, en même temps » entre le début de
chaque phrase et la fin.
Conscient que la multiplication de soutiens
venus de caciques de la politique ainsi que
la rumeur d'un prochain ralliement de
Manuel Valls peuvent nuire à la cause du
renouveau et de l'alternance qu'il prétend
incarner, Emmanuel M. se fend d'une formule

malicieuse pour tempérer les ardeurs et expliquer qu'il ne se sent pas redevable : «Je n'ai pas fondé une maison d'hôtes.» Brigitte commente : «C'est drôle, non ? Tu imagines, s'il avait dit "auberge espagnole" ?»

Au QG, à mesure que l'échéance approche, l'effervescence grandit, les réunions se multiplient : le candidat doit sans cesse prendre des décisions, rendre des arbitrages, il lui faut, en quelques secondes à peine, accepter ou refuser un déplacement, une visite thématique, une interview, réorganiser l'agenda aussitôt, il faut réagir à l'actualité, intégrer les mouvements des adversaires, gérer les imprévus, il faut avaler des notes indigestes, relire des discours, les réécrire, et ne jamais perdre de vue la cuisine interne, les investitures pour les législatives, les rentrées et les sorties d'argent, les états d'âme des uns, les exigences des autres, la fatigue de tous, il faut lire les SMS bourrés de conseils en tous genres qui s'affichent avec une régularité métronomique sur les deux téléphones et y répondre ou pas ; et encore être à l'initiative, surprendre. C'est comme le tambour d'une lessiveuse qui jamais ne s'arrêterait de tourner.

Heureusement pour lui, la chance n'abandonne pas Emmanuel M. Dernier exemple en date : l'«affaire des costumes», qui constitue un nouvel embarras pour François Fillon. On reproche au candidat de la droite de porter des tenues qui coûtent six fois un SMIC et on s'interroge sur son généreux et anonyme donateur (ainsi que sur l'éventuelle contrepartie du cadeau). Brigitte, de son côté, choisit de s'en amuser : «Je comprends son goût pour les vêtements chics ! Moi-même, j'aime porter de belles robes.» Puis elle redevient sérieuse : «Elles me protègent. Souvent, j'ai beaucoup de mal à me rendre dans des dîners officiels mais, si un couturier est assez gentil pour me prêter une robe, alors je m'en sens finalement capable.» Derrière cet aveu, toujours la question de sa légitimité, celle aussi de son âge.

Le 16 mars, Emmanuel M. s'envole pour Berlin afin de rencontrer Angela Merkel. La presse relève que la chancelière allemande lui accorde là un privilège (et pour tout dire lui fait un beau cadeau). Et explique que cette visite a pour objet de permettre au candidat de parfaire sa stature présidentielle. À son retour, quand je l'interroge, il ne se montre pas disert : «On s'est souvenu que j'étais le jeune sherpa du nouveau président quand je l'ai rencontrée la première fois en mai 2012. Je me trouvais dans le fameux avion qui a pris la foudre, le jour de l'investiture.» Et sinon ? «Ça s'est bien passé.» Il n'en dira pas davantage. Soit parce qu'il ne s'est rien dit au cours de l'entretien. Soit parce qu'il enfile dès à présent le costume présidentiel : il ne trahira pas de secret, il n'est pas François Hollande.

Benjamin Griveaux, de son côté, est plus explicite : «À Berlin, ils espèrent qu'on va l'emporter.» Le même Benjamin enchaîne, en me racontant les tirages au sort effectués devant huissier en vue du grand débat présidentiel du 20 mars en présence des représentants des candidats : «C'est bien simple : on a tout gagné ! Dans les bandes-annonces, Emmanuel apparaîtra en premier. Pendant le débat, il sera placé au centre. Et c'est lui qui a été désigné pour s'exprimer en dernier et conclure. Décidément, il a du bol !»

Le 17 mars, le candidat effectue un double déplacement à Villers-Cotterêts et Reims où il doit s'exprimer sur la culture. Je suis du voyage. Du QG de la rue de l'Abbé-Groult, s'élance donc un cortège de cinq véhicules, toutes sirènes hurlantes, tous gyrophares allumés, comme dans les films. Sur le boulevard périphérique, on slalome à 130 km/h. Sur les routes, on monte à 150. Deux colosses mutiques sont installés à l'avant, l'un conduit, l'autre sort sa main droite enveloppée d'un brassard fluorescent par la vitre ouverte, faisant signe aux autres voitures de s'écarter ou les remerciant de l'avoir fait (je ne sais pas très bien). À côté de moi : Grégoire, attaché de presse ayant rejoint l'équipe un mois plus tôt en provenance du Quai d'Orsay ; il est habitué à ces déplacements officiels, il dort comme un bébé pendant une bonne partie du trajet tandis que je m'accroche à la poignée située au-dessus de ma tête. J'ignorais qu'il était à ce point périlleux d'écrire des livres. Le téléphone du conducteur sonne. Sur l'écran, apparaît le mot « Maman ». Il décroche, continuant de conduire d'une seule main. Quant à celui assis sur le siège passager, il se retourne vers moi pour évoquer le débat télévisé à venir : « Il y a des gens qui pensent qu'il est nunuche, Emmanuel, gentil, tout ça, ils vont voir qu'il a la carrure, le type il a trois cerveaux. » La bagnole continue de filer à toute allure.

À Villers-Cotterêts, le spectacle est habituel quand le candidat s'extrait de son véhicule : une nuée de caméras, une forêt de micros, une cohue. Des jeunes gens viennent réclamer des selfies. Ils ne voteront probablement pas pour lui et il est même possible qu'ils ne votent pas du tout. Ce qu'ils veulent, c'est juste une photo qu'ils pourront poster sur Facebook ou Instagram, ça fera des like et des commentaires. Personne ne prête attention à la statue d'Alexandre Dumas, né là. Sauf Emmanuel M. qui tient à saluer «le métis, le métèque». À l'écart, se tient une maigre manif de la CGT : moins de dix personnes, rassemblées derrière une banderole où est inscrit «Merci patron». Le grand soir attendra. Emmanuel M. va à leur rencontre, discute. Mais s'il est là aujourd'hui, ce n'est pas pour eux : la ville est aux mains du Front national, c'est à l'extrême droite qu'il entend se mesurer. Brigitte, en retrait, s'efforce de plaisanter : «On va se prendre des œufs et on n'a pas emporté de tenue de rechange.» En réalité, elle a un peu peur de ces visites en territoire hostile. Pourtant, l'accueil est bon. Deux septuagénaires qui avouent avoir voté FN aux municipales expliquent qu'ils voteront Macron à la présidentielle. Quelque chose est-il en train de changer ? Emmanuel M. le dit autrement : «Depuis deux semaines, je ne croise presque plus de regards de haine.»

Le cortège se dirige ensuite vers le château. On emprunte un passage voûté, orné de têtes d'anges, pour découvrir un édifice construit au

XVIᵉ siècle, en fort mauvais état, partiellement en ruine. Le ministère de la Culture ne semble guère s'en préoccuper, lui préférant sans doute les châteaux de la Loire qui, eux, attirent les touristes : dans les allées du pouvoir, quel qu'il soit, on aime la culture quand elle rapporte et quand elle porte beau. C'est pourtant dans ce château qui s'effrite que François Iᵉʳ a pris une décision historique, celle d'unifier toutes les langues du royaume pour n'en conserver qu'une, la langue française. Je comprends que le lieu n'a pas été choisi au hasard : d'abord le candidat aime appeler régulièrement à la rescousse l'héroïsme épique du passé, ensuite il entend se positionner comme le vrai patriote de cette compétition électorale. Du reste, il cite Camus : « *Oui, j'ai une patrie : la langue française.* » Il faut toujours avoir une citation de Camus à dégainer quand on fait de la politique.

On reprend la route, direction Reims, la ville où les rois de France ont été sacrés. Ah, le beau symbole ! Sur place, François Bayrou attend Emmanuel M. : ce sera l'image du jour. Une poignée de main chaleureuse devant les objectifs et on est assuré de figurer dans le journal de 20 heures. La déambulation dans la ville dure quinze minutes, les deux hommes parcourent moins de deux cents mètres, qu'importe, les journalistes présents sont ravis : ils ont ce qu'ils sont venus chercher. Le soleil est de la partie, c'est encore mieux.

Pourtant, c'est à l'arrière que se déroule, me semble-t-il, la scène la plus intéressante : une foule s'amasse autour de l'épouse du candidat, des jeunes gens crient son prénom, on veut l'approcher, l'embrasser. Mais surtout les femmes sont là, en très grand nombre. L'une d'entre elles résume le sentiment général, qui lance : « Vous nous vengez, Brigitte ! » Elle plaît aux femmes modernes (qui la jugent transgressive) comme aux traditionnelles (qui la trouvent rassurante). Il se noue autour d'elle quelque chose qui dépasse largement la politique.

Un peu plus tard, au Palais des congrès, le meeting peut commencer. Après les harangues des chauffeurs de salle, le candidat apparaît, venant s'installer derrière un pupitre bleu, blanc, rouge. Derrière lui, un fond bleu, un drapeau européen et un drapeau français. La mise en scène est impeccable. Je me prépare à une heure d'ennui diffus mais un petit miracle se produit : Emmanuel M. fourbit un de ses meilleurs discours de campagne. D'abord, sa voix est plus basse, plus lente, plus

solennelle. Mais surtout, la culture est – enfin –
au cœur de son propos. Il cite Marc Bloch
(«*Qui n'a pas vibré au sacre de Reims et à la fête
de la Fédération n'est pas vraiment français*»),
s'insurge contre la captation par les réactionnaires de Charles Péguy (rappelant notamment
qu'il fut dreyfusard), évoque Paul Ricœur
enfermé au stalag durant quatre ans et passant
sa captivité à traduire Edmund Husserl, philosophe autrichien, «réconciliant les histoires
blessées», évoque Chagall, Modigliani, Picasso,
en reprenant les mots de Brancusi : «*En art,
il n'y a pas d'étrangers.*» Il salue «les refusés,
les insoumis, les affranchis». Il évoque enfin
Rimbaud, «faisant ses humanités et vivant aux
marges». Je ne peux pas reprocher grand-
chose à un homme qui convoque le souvenir de
Rimbaud.

(Un autre jour, il confiera : «J'aurais aimé
être Stendhal, Romain Gary ou René Char, à
cause de leur vie, de leur liberté.»

Stendhal ? Une enfance en province, des
études à Paris, une existence mouvementée,
l'amour de l'Italie, de la peinture et des femmes,
et des romans parsemés de jeunes gens aux
aspirations romantiques et aux rêves de gloire.

Romain Gary ? Un écrivain aux identités mul-
tiples, dont les personnages sont fréquemment

en dehors du système, auteur d'un livre au titre parfait : *La Promesse de l'aube*, un homme qui affirmait : «*Je ne vieillirai jamais*», et qui tint parole.

René Char? Un résistant, un dissident, le poète de la révolte et de la liberté, «*le poète de nos lendemains*», disait Camus.)

(Et quand on n'est pas devenu écrivain, on espère devenir président?)

Après le rassemblement, François Bayrou et Marielle de Sarnez convient les époux Macron à dîner dans un restaurant du centre-ville. Je suis également de la partie.

Nous voici installés dans une sorte d'aquarium, un rectangle vitré, clos, où nous sommes vus mais pas entendus (version moderne de l'aquarium de Balbec, décrit par Proust : les «gens ordinaires» sont de l'autre côté, tenus à distance).

Je découvre un Bayrou bon vivant, débutant par un Americano, dînant d'une entrecôte, amateur de vin rouge.

La conversation roule d'abord, comme c'était prévisible, sur François Fillon : «Je le concède, je n'ai rien vu venir. J'étais à mille lieues d'imaginer cela. Je ne me doutais pas qu'il avait ce rapport à l'argent. Après coup, je me suis souvenu que Sarko m'avait dit : "François, il porte des costumes plus chers que les miens." Cela aurait pu me mettre la puce à l'oreille... » Il a dit publiquement son indignation face aux pratiques présumées du candidat de la droite, il est encore indigné par les explications fournies par la fille pour justifier qu'elle ait reversé à son père une grande partie de ses indemnités : « Qui croit à cette histoire de remboursement des frais de mariage ? Qui ? Et dans quelle famille une fille rembourse son mariage à son père ? » L'homme paraît sincèrement blessé par des pratiques qui lui font horreur. (Quelques mois plus tard, il sera pourtant emporté lui aussi par le torrent des affaires, au moins par le poison du soupçon.)

On évoque le premier grand débat télévisuel qui doit se tenir trois jours plus tard. Il fournit son pronostic et prodigue ses conseils. « On pense que vous avez beaucoup à perdre, moi je pense au contraire que vous avez beaucoup à gagner. Vous devez vous montrer offensif. Pas agressif : offensif. Regardez Juppé, il a vécu les débats de la primaire comme un pensum, il a eu tort. »

Bayrou exprime son optimisme sur l'issue du combat : « Je suis convaincu que vous allez gagner. » Marielle de Sarnez renchérit :

«Je crois même que vous pouvez sortir en tête au premier tour.»

Il livre sa vision du paysage politique : «Les autres partis se décomposent. La droite se radicalise, Valls en refusant de soutenir Hamon a signé la mort du PS.»

Sur les législatives qui suivront, là aussi il martèle sa confiance. Il rappelle la phrase de Mitterrand en 1981 : «*Est-ce que vous croyez que les Français seraient assez bêtes pour m'élire président en mai et me refuser la majorité pour gouverner en juin ? C'est du bon sens !*»

Au fond, il ne craint qu'une chose : les ralliements à venir de la gauche de gouvernement. Il rêve d'un cordon sanitaire.

À la fin, je le sens sincère dans son affection et son soutien. On jurerait qu'il se réincarne en l'autre, et c'est finalement assez touchant. Mais n'appartient-il pas au monde d'hier ? Et ne joue-t-il pas une partie de billard à beaucoup de bandes qui ne se termine pas une fois acquise l'élection du prodige ? Parfois, on pourrait croire que des gens comme lui, mais aussi Sarkozy ou Hollande ou Valls, pensent la même chose : Macron est une anomalie et eux reprendront leurs droits ou conserveront le pouvoir et ses prébendes sous d'autres formes. Ils ont raison sur un point : Macron est une anomalie. Quand je lui en fais la remarque, l'intéressé cite René Char : «*À [me] regarder, ils s'habitueront.*»

20 mars. À cinq heures du premier grand débat de la présidentielle sur TF1, ultime réunion de l'équipe au QG autour du candidat. Douze hommes et seulement deux femmes (la parité attendra la constitution du gouvernement, apparemment). Tous armés de leur MacBook Air ou de leur iPhone dernière génération : on est Apple ou on n'est pas. Tous sont des crânes d'œuf qui disposent d'une réponse pour chaque question. Tous (sauf Laurence Haïm, venue de la défunte iTélé) tutoient Emmanuel M., qui semble particulièrement détendu.

Il a emporté un stock de fiches cartonnées écrites à la main et une liste de dernières précisions à demander (l'hypermnésique qu'il est entend entasser de la mémoire supplémentaire).

Sur le service militaire, dont il a annoncé la résurrection deux jours plus tôt, il est offensif : «Il faut tuer la petite musique des 15 milliards que ça coûterait en infrastructures : je ne vais pas rouvrir des casernes !» Sur l'immigration, le RSA et l'AME versés aux étrangers, il sait que Fillon et Le Pen sont beaucoup plus clairs et tranchés que lui : «C'est le sujet sur lequel il ne faut pas paraître mou du genou.» Il demande sur quels points forts de son projet il doit s'appuyer en priorité. Les réponses fusent aussitôt : «La fin de la taxe d'habitation pour quatre Français sur cinq, la prise en charge de l'optique et du dentaire, les retraites», c'est-à-dire les sujets concrets. «Parler du concret, c'est respecter les gens», énonce Sylvain Fort.

Le discret et énigmatique Ismaël Émélien est celui qui prodigue le plus de conseils : «N'attaque pas trop sur le bilan, n'insiste pas sur l'inventaire des deux quinquennats. Toi, tu te projettes, tu regardes l'avenir, tu incarnes une ambition. Et tu n'es pas là pour matraquer les autres mais pour marquer ta différence. Autre chose : quand tu mets en avant un droit nouveau, tu dois y associer les devoirs afférents. À chaque fois, la caresse et la claque. Tu es un type sérieux, pas un démagogue.» Sibeth, en charge de la com' : «Faut pas tabasser la table.» Benjamin Griveaux : «Faut sourire.» Le candidat conclut à sa manière : «Faut prendre du plaisir.»

Plus tard, dans le couloir, Benjamin me dit sa confiance : «C'est le plus sympa de tous, ça va se voir.» Je m'inquiète : «Tu penses qu'il est prêt, là?» Il sourit : «Il s'est préparé à ce moment depuis très longtemps.»

Il est plus de minuit, le fameux débat télévisé vient de s'achever et je lui livre mes impressions à chaud : elles sont mitigées, il me semble que la confusion l'a emporté et que le format ne permettait pas une pensée nuancée, il me semble aussi que chaque candidat s'est d'abord adressé à ses propres électeurs quand il cherchait, lui, maladroitement parfois, à s'adresser à tous les Français. J'ajoute que je ne l'ai pas trouvé assez proche des préoccupations des gens : trop de généralités, trop d'œcuménisme. En revanche, il était central (à tous points de vue) et il a excellé dans les échanges vifs avec les autres, et notamment avec Marine Le Pen. Il me confie : «Je n'ai pas aimé ce débat et je partage ton point de vue. À mes yeux, je n'ai pas été bon mais les autres ont été plutôt mauvais. Si je gagne, c'est par défaut. On en a à faire!» Quelques heures plus tard, deux sondages indiquent qu'il a été jugé le plus convaincant.

Le lendemain, les onze candidats à l'élection présidentielle publient leur déclaration de patrimoine. Où l'on apprend que les trois champions de la défense des «petites gens» et de l'incarnation de la «France réelle», c'est-à-dire Marine Le Pen, Jean-Luc Mélenchon et Nicolas Dupont-Aignan, sont les plus fortunés et qu'Emmanuel M., supposé candidat de l'argent et suppôt de la finance mondialisée, fait figure de parent pauvre. Le monde à l'envers.

Et puis le jeune homme reçoit un nouveau soutien de poids : Jean-Yves Le Drian annonce enfin son ralliement. Même si la nouvelle était attendue, elle a un impact, alimentant la dynamique, crédibilisant un peu plus le candidat. Benoît Hamon l'a si bien compris qu'il qualifie de «*trahison*» le geste de Le Drian. Il a probablement oublié qu'il a tenté d'organiser la censure du gouvernement auquel appartenait le ministre de la Défense. En somme, il a voulu le limoger (ce qui, du reste, en sa qualité de parlementaire, est tout à fait son droit). Et il s'étonne que cet homme-là ne le soutienne pas. Moi, ce qui m'étonne, c'est son étonnement.

Il reste trente jours avant le premier tour. L'impression qui domine est que, désormais, rien ne semble plus pouvoir arrêter cette marche vers le pouvoir suprême. Quelle histoire. Si quiconque l'avait écrite, il y a six mois, on lui aurait ri au nez. Aucun éditeur n'en aurait voulu. Arguant que la politique, ce n'est pas du roman. Eh bien si.

Je croise ensuite Emmanuel M. au Salon du livre. Pas la moindre chance de parler littérature puisque la sempiternelle cohue des caméras, appareils photo et micros empêche toute conversation. Cependant, contre la foule qui pousse et les officiers de sécurité qui s'ingénient à éloigner les importuns et à prévenir les éventuels mauvais coups, il choisit finalement de s'arrêter quelques instants pour deviser au sujet de Paul Éluard et de Fernand Léger. J'entends un journaliste lancer : «De qui il parle ?»

Soazig, la photographe qui le suit en permanence, me confie : «Tu sais, ça fait longtemps que j'accompagne des hommes politiques : à force tu connais leurs trucs, tu anticipes leurs mouvements. Avec Emmanuel, j'avoue que chaque jour est différent, il est capable de tout, à n'importe quel moment. C'est épuisant, mais c'est exaltant aussi.»

Dans *Slate*, l'écrivain Laurent Sagalovitsch se livre à un exercice intéressant, il campe Emmanuel M. en héros fitzgéraldien : «*Comme tous les héros de [...] Fitzgerald, Emmanuel*

Macron croit en lui. En sa bonne étoile grosse comme le Ritz. Au destin qui a bien voulu s'oc-cuper de son sort et l'a déposé aux abords de la quarantaine, beau et frais comme un jeune pre-mier. À [...] la chance dont ses dents écartées sont la plus parfaite des illustrations. Et encore à cette façon d'avancer dans la vie, [...] résolument et tranquillement, [...] comme si tout allait de soi, comme si [...] il était écrit que rien ne pour-rait lui résister. [...] Légèreté de l'âme [...] amour de soi [...] insolence de l'esprit doué pour le bonheur [...]. Et puis aussi ce brin d'exotisme, de mystère, d'équivoque dans le personnage si étonnant de sa femme, cette provocation de vivre avec une mère-amante [...], la folle incarnation d'un romanesque qui défie le temps, la mode, la bienséance [...]. Oui, par bien des égards, Emmanuel Macron est ce jeune héros insatiable et farouche des romans de Fitzgerald, cet être radieux et solaire [...]. Il devrait pourtant se méfier : l'œuvre comme la vie de Fitzgerald finit toujours par s'abîmer tôt ou tard, et plutôt tôt que tard, dans une ineffable et inexorable tra-gédie. [...] Bien vite la fête s'achève dans la désillusion d'une existence moribonde [...]. »

Je pourrais reconnaître pas mal de celui que je connais dans ce portrait bien troussé, bien vu. Je suis simplement embarrassé par son épi-logue : on jurerait que l'auteur souhaite la déchéance de son héros. Je me méfie généralement des passions tristes et des désirs mortifères.

Dîner avec Brigitte dans un restaurant italien, tandis que son mari se trouve dans l'avion qui le ramène de Mayotte. Elle ne peut s'empêcher de se remémorer un autre vol, celui qu'il avait lui-même évoqué à l'occasion de sa visite à Merkel, l'avion foudroyé du premier jour du quinquennat de François Hollande : «Je venais juste de quitter le lycée Franklin, j'étais dans le métro, ma belle-mère m'a appelée, j'ai décroché, j'ai juste eu le temps d'entendre ces mots : "L'avion d'Emmanuel a pris la foudre", mon téléphone m'est tombé des mains, sur le quai, tu imagines ma stupeur, mon effondrement.» Je comprends que la peur ne l'a jamais tout à fait abandonnée.

Elle revient de sa maison du Touquet, m'apprend que des policiers sont venus inspecter les lieux en prévision d'une éventuelle victoire à la présidentielle, dans le but de «sécuriser le périmètre», comme ils disent. Elle prend malgré elle conscience que toute leur existence se trouvera chamboulée, que l'appareil d'État, que les exigences sécuritaires et protocolaires la mettront sous contrôle.

Son regard se fait soudain vague et triste. Elle confie qu'elle s'oblige désormais à réfléchir à ce qu'elle fera si jamais elle devient première dame : «J'ai lu les livres consacrés à celles qui ont occupé la fonction. Il n'y en a pas beaucoup qui ont été heureuses, j'ai l'impression.»

29 mars. Manuel Valls annonce qu'il votera pour Emmanuel Macron. La nouvelle avait beau être attendue, elle n'en fait pas moins l'effet d'une petite bombe. On se souvient que Valls, défait à la primaire, s'était engagé à soutenir Benoît Hamon : il se renie donc, et de manière spectaculaire. Mais qui est surpris? On sait, depuis la tragédie grecque, que les conflits de famille se règlent dans le sang et que celui qui a été trahi trahira à son tour à la première occasion. On se souvient aussi que Valls a toujours considéré avec dédain puis acrimonie son cadet, dont il estime qu'il lui doit beaucoup. Il s'agit donc d'un ahurissant revirement. Faut-il que l'heure soit grave pour que l'orgueilleux Espagnol s'inflige cette mortification. Il indique d'ailleurs que c'est le risque d'une victoire de l'extrême droite qui guide sa main. On ne peut s'empêcher néanmoins d'entrevoir quelques arrière-pensées : la volonté de faire exploser le Parti socialiste afin de se

dresser plus tard sur les décombres, le désir de peser dans la future majorité présidentielle afin de sauvegarder une once de pouvoir. Emmanuel M. ne s'y trompe pas, lui qui avait annoncé à l'avance qu'il ne se sentait l'obligé de personne et entendait proposer pour l'avenir de nouveaux visages. Le voici en tout cas lesté à gauche. Pas sûr que cela arrange ses affaires.

(À tête reposée, il me confie : « Valls, je ne l'ai pas sollicité. Je ne crois pas en sa sincérité : ai-je tort ? Il se positionne pour le coup d'après et, pour être tout à fait transparent, je pense qu'il ne verrait pas d'un mauvais œil que je perde. »)

À la télévision, le soir même, Benjamin Griveaux se trouve coincé entre une partisane de Jean-Luc Mélenchon et un soutien de Benoît Hamon, lesquels s'invectivent, rendant plus patent encore l'éclatement de la gauche. Il n'a qu'à ramasser la mise. Il me dit, espiègle : « J'étais, malgré moi, l'arbitre des inélégances. » Au fond, la formule pourrait définir assez bien la position qu'occupe Emmanuel M.

Cependant, à vingt-cinq jours du premier tour, la gauche et la droite, mesurant combien le poison de la division en leur sein respectif est mortel, détournent les tirs et désignent à nouveau une cible commune : Emmanuel M. Plus de place pour les nuances, ça cogne à tout-va. Pour la gauche, c'est entendu : il est de droite, le bras armé du libéralisme, le candidat de l'argent. Pour la droite, c'est clair : il est de gauche, le prolongement de l'abhorré président sortant (et moi qui pensais qu'il n'était pas tellement de gauche, ce président-là). À en croire les sondages, toujours aussi flatteurs, on dirait bien que ces deux critiques s'annulent. Les deux missiles ne détruisent-ils qu'eux-mêmes ?

François Fillon, trop heureux de se sortir quelques instants du bourbier de ses affaires, et convaincu d'avoir enfin trouvé le bon angle d'attaque, enfonce le clou : il attaque sans relâche «Emmanuel Hollande». Il se plaît à tailler des costards. Oubliant qu'il aime aussi, beaucoup, qu'on lui en offre, des costards. Emmanuel M. sort alors une botte secrète : une rencontre surprise avec Christian Estrosi, président du conseil régional de Provence-Alpes-Côte d'Azur, l'un de ceux à droite qui avaient jugé préférable que Fillon se retire du jeu (au nom de la simple décence) et un homme que la gauche avait soutenu pour faire barrage au Front national. Je contemple son air malicieux : il n'est pas peu fier de son coup (double). Visiblement, le débutant sait aussi tirer de grosses ficelles et se comporter en vieux briscard à qui on ne la fait pas.

Avril

Brigitte et Emmanuel M. s'accordent une halte, dans les alentours de Marseille, après un rassemblement jugé réussi la veille dans la cité phocéenne. Le rythme de la campagne est si trépidant depuis des mois qu'il n'est probablement pas absurde de se régénérer avant la dernière ligne droite. C'est de la terrasse où ils prennent leur petit déjeuner qu'ils m'appellent. D'abord, comme souvent, nous parlons de tout et de rien. À un moment, je ne sais plus très bien pourquoi, Brigitte évoque le chanteur Vianney, vingt-six ans, pour qui elle a un faible. Je partage son enthousiasme. Son mari, d'humeur espiègle, se moque aussitôt de nos goûts de midinette (ce n'est pas formulé de la sorte, mais c'est ce que nous comprenons). Il préfère Aznavour ou Hallyday. Je me moque de lui : «Ça ne fait pas de doute décidément : dans votre couple, c'est toi le plus vieux. Et de beaucoup !» (Mon ironie est, du reste, toute relative : je pense réellement qu'il a des goûts classiques tandis que son épouse n'est pas là où on l'attend, pas conventionnelle; et cela ne touche pas qu'au champ culturel.)

Néanmoins, la politique n'est jamais loin. Redevenant sérieux, le candidat fait un point sur les forces en présence : «Mélenchon a tué Hamon, ça c'est fait. Fillon, quant à lui, ressemble à un boxeur qui perd aux points et lance toutes ses forces dans la bataille, donc il est encore dangereux. Dans ses meetings, il n'y a plus que des gens émanant de la Manif pour tous et de Sens commun chauffés à blanc. Estrosi lui-même s'inquiète de cette radicalisation. Je crois que Fillon va remonter dans les sondages. D'autant qu'à l'approche du vote, des électeurs vont rentrer au bercail. S'il se rapproche de moi, j'y vois un avantage : ça remobilisera en ma faveur. À la fin, je lui opposerai qu'on ne peut décidément pas demander des sacrifices au plus grand nombre alors qu'on appartient à une caste qui vit sur des privilèges.» Est-ce que cela suffira?

4 avril. Déjeuner au QG, avec le candidat, afin de préparer le deuxième débat télévisé de la présidentielle.

Quand j'arrive sur place, je suis, comme chaque fois, frappé par le côté «fourmilière» : beaucoup de jeunes gens, souvent en mouvement, du désordre dans les bureaux, des réunions plutôt informelles ici ou là, une certaine décontraction corrigée par l'aspect austère des lieux, on se parle debout, adossé à des cloisons, un mug à la main, je devine que ça phosphore, je file vers le bureau du « chef ».

Autour de la table du déjeuner (en l'occurrence la table de réunion sur laquelle ont été déposés des plateaux-repas), l'équipe d'En Marche !, plus Marielle de Sarnez, François Bayrou et un journaliste de télévision. C'est Bayrou qui commence : « Vous devez être heureux de participer à ce débat, saisir le caractère précieux de l'occasion qui vous est offerte. Vous ne devez pas exprimer la moindre lassitude. Il faut au contraire montrer de la vigueur et donner à voir qui vous êtes. » Le journaliste renchérit : « Beaucoup de gens sont encore dans le doute à votre sujet. Vous devez lever ces doutes, lever ce qui empêche encore la cristallisation du vote. » Marielle de Sarnez embraye : « Vous devez être offensif et empathique. » Ismaël Émélien pointe les risques : « Pas de condescendance à l'égard des petits candidats ! »

Emmanuel M. expose alors l'introduction qu'il envisage. Le verdict tombe. Le journaliste : « Trop long. » Sarnez : « Trop classique. Et vous parlez trop de vous, il faut parler des Français. » Comprenant la tournure que prend la conversation mais exprimant aussi ce qui lui a inspiré le propos liminaire, Bayrou cite Clemenceau, à moins que ce ne soit Francis Blanche : «*Qu'est-ce qu'un chameau ? C'est un cheval dessiné par un comité d'experts.*» Puis se fait plus carré : «Vous devez dire : "Ça ne peut plus continuer comme ça." Vous vous présentez parce que tout est bloqué, pourri. Point.» Emmanuel M. : «Est-ce que j'emploie le mot de "rupture"? Jusqu'ici, j'ai toujours parlé d'alternance.» Le journaliste : «Insistez sur l'avenir, sur l'optimisme.» Emmanuel M. l'assure : «Je montrerai de la détermination, du tranchant. Moi, j'ai su dire non.» Tout le monde convient qu'il faut faire court. Ne pas forcément employer toute la minute dévolue par le dispositif.

Pour ce qui est du fond du débat et des thèmes abordés, le consensus se fait rapidement : «Il faut être très concret. Énoncer des mesures. Expliquer les propositions. Et à chaque fois, partir des gens, donner des exemples.» Une formule est répétée : «Celui qui est compris est celui qui rassure.»

Sont évoquées les attaques qui pourraient venir des adversaires. Emmanuel M. sait ce qu'il rétorquera à Fillon : «S'il persiste à m'appeler Emmanuel Hollande, je lui ferai remarquer que moi, je suis parti, j'ai démissionné, j'ai rompu.

Lui est resté jusqu'au bout, il s'est soumis, il a avalé des couleuvres. Et puis, compte tenu des affaires qui le cernent, je pourrais tout aussi bien le rebaptiser François Balkany.» Si Marine Le Pen l'attaque sur le patriotisme, il sait aussi quoi répondre : «Moi, je viens d'une région de cimetières. Le nationalisme, c'est la guerre.»

Il conclut dans un sourire : «J'y vois clair !» Ce à quoi Bayrou rétorque, avec le même sourire : «Typiquement le genre de phrase qui ne rassure pas.»

J'ai regardé le débat. Pour me rendre compte que les réunions préparatoires ne servent pas à grand-chose.

Commentaire de l'intéressé : «J'ai l'impression d'avoir fait le job et d'avoir plutôt bien géré mais l'ensemble était ennuyeux, non ?»

(Plus tard, il se montrera légèrement désabusé : «J'ai éprouvé très peu de sensations. En fait, je déteste ce genre d'exercice : c'est trop formaté. Et je n'avais que des coups à prendre. Si je devais résumer ? J'avais beaucoup à perdre et je n'ai pas perdu.»)

Subsiste une impression : alors que les autres candidats ont décrit une France sinistrée, déprimée, nostalgique d'une grandeur qui aurait été perdue, parlé de Français en colère, et proposé de se calfeutrer, il est celui qui a employé les mots «espérance», «avenir», «ouverture», et martelé l'optimisme. L'écoutant, je songeais à la phrase d'Albert Camus : «*Il n'y a pas de honte à préférer le bonheur.*»

Et soudain, à deux semaines du premier tour, les sondages montrent un net resserrement. Le Pen et Macron restent en tête, mais ils refluent, tandis que Fillon demeure en embuscade et que Mélenchon opère une fantastique *remontada*. C'est le sujet de la conversation que j'ai avec Patrice Duhamel, ancien directeur général de France Télévisions, et Hubert Védrine, ancien chef de la diplomatie française. L'un et l'autre ont des pronostics diamétralement opposés. Duhamel paraît convaincu que Mélenchon va achever de vampiriser Hamon («À quoi ça servirait à gauche de vouloir encore voter pour lui ?») et peut donc décrocher sa qualification pour le deuxième tour. De son côté, Védrine croit que Macron va l'emporter : «C'est le seul des quatre contre lequel les électeurs n'ont pas de raison de voter.»

Dans ce contexte tendu, Emmanuel M. s'en va tenir meeting à Besançon.

Je le retrouve gare de Lyon, je lui trouve une petite mine : trop de fatigue accumulée ou le doute qui s'insinue ? Installé dans le TGV où la chaleur est étouffante, il évoque ses objectifs : «Taper les adversaires directs, reparler du fond, aller cristalliser l'électorat.» Il ajoute, dans un sourire : «Maintenant, on ne fait plus de prisonniers.» Je me rends compte que la bienveillance martelée depuis le commencement comme un mantra, une différence fondamentale, a du plomb dans l'aile.

Christophe Castaner, le porte-parole du candidat, paraît approuver du regard ce goût nouveau pour la mêlée. Je l'aime bien, Castaner, avec sa barbe de trois jours parfaitement taillée, son côté beau gosse frimeur qui ne dédaigne pas la provocation et s'y entend comme personne pour manier la langue de bois chaque fois que c'est nécessaire en faisant comprendre à son interlocuteur qu'en effet, il lui raconte la messe. Je l'aime bien aussi parce qu'il assume d'aimer la politique et se sent comme un poisson dans l'eau dans cette campagne. C'est un bon camarade. C'est aussi un type sur qui on peut compter pour aller au combat et il connaît sa gauche. Emmanuel M. ne l'a pas choisi par hasard.

Ensemble, ils évoquent le danger Mélenchon. Le candidat s'efforce de relativiser (pour se rassurer ?) : «Mélenchon va s'effondrer psychologiquement. Il va prendre peur. Il sera victime d'un appel d'air.» J'en déduis qu'il a lui-même ressenti cette frayeur, ce vertige lorsqu'il s'est installé en tête des sondages, lorsque son élection est devenue une hypothèse sérieuse et qu'il lui a fallu prendre sur lui-même pour remonter la pente.

Je lui parle de l'éventuel «après». Il m'affirme qu'il n'a «pas de décision arrêtée quant au Premier ministre». Avant d'ajouter : «Mais plutôt un jeune.» Je comprends qu'il a un nom en tête, qu'il ne me le confiera pas. Quand je l'interroge sur la possibilité de ne pas disposer d'une majorité parlementaire à l'issue des législatives, il commence par énoncer des banalités («Il y aura le souffle de la présidentielle, la prime au vainqueur») avant d'en revenir à l'essentiel : «Mais on n'en est pas là : d'abord le premier tour, le 23 avril : chaque chose en son temps.» L'incertitude domine. Il semble envisager que le match pourrait lui échapper.

On arrive sur place, un convoi nous conduit au lieu du rassemblement, on file directement en loge. Là, on retrouve Jean-Louis Fousseret, le maire de la ville, ainsi que François Patriat, venu de Dijon, et une poignée d'élus locaux. Auprès d'eux, il prend la température. Les régionaux de l'étape n'en ont que pour François Rebsamen, maire de Dijon, lequel a proposé un accord programmatique de gouvernement qui accrédite l'idée de la poursuite du hollandisme par d'autres moyens. Emmanuel M. écoute d'une oreille distraite. Il paraît considérer que ce ne sont là que «chicayas». Il me glisse à l'oreille : «C'est *La Comédie humaine*. La littérature en moins.» De son côté, Sibeth relit un entretien à paraître dans un grand quotidien régional. Elle bute sur une phrase : «C'est pas clair, là. Je ne comprends pas.» Il se relit, plaisante : «Mais si, c'est très clair.» Elle insiste : «Il faut reformuler.» Il n'en démord pas. Deux gamins. La référente En Marche! de Strasbourg, conviée à s'exprimer, indique qu'elle perçoit un fléchissement, un retour des interrogations. Emmanuel M. n'y prête pas suffisamment attention : il a tort.

Arrive le meeting. La salle est pleine, mais dure. L'ambiance franchement molle. Le discours, quant à lui, est décousu, répétitif, poussif. La fatigue, décidément, se fait sentir. (Brigitte, partie en reconnaissance dans les Pyrénées où le candidat est attendu le lendemain, à qui j'en parle au téléphone, s'en émeut : «Il a un agenda trop dense. Il n'écoute pas et j'ai peur pour lui.») Jean-Marc Dumontet, qui assiste à tous les déplacements, qui est sans doute le plus fan, est aussi le plus direct et le plus critique à l'issue de sa prestation : «Votre souffle n'apparaît pas assez. Il faut revenir à des mots comme "conquête", "espoir", "ambition", "énergie", "talents". Il y a des marottes à supprimer : "toutes celles et ceux", "le projet que nous portons", "alors oui, c'est pour cela". Et puis c'est aussi un match de boxe, battez-vous. Bayrou avait pris des points en giflant un gamin, c'est affligeant mais c'est ainsi. Juppé trop en retrait a laissé passer la vague.»

On repart en voiture tandis que le soir tombe pour faire une halte à la sortie de la ville dans une zone commerciale. On entre dans un Courtepaille, afin de se restaurer («J'ai une de ces fringales, j'ai avalé un demi-sandwich à midi»). Les clients attablés n'en reviennent pas de voir débarquer le candidat «vu à la télé». La vision leur paraît un peu surnaturelle et on le comprend. Certains s'approchent pour l'encourager, d'autres restent ostensiblement à l'écart. Il serre des mains, pose pour des selfies. Il avale un pavé de bœuf, boit un coup de rouge.

On reprend la route dans la nuit noire. La voiture file à 180 km/h sur une autoroute déserte. Il donne l'impression d'être préoccupé, insatisfait. Il relit le discours qu'il doit prononcer à Pau le lendemain soir, l'annote, consulte ses mails, y répond. Et soudain, il parle de Bagnères-de-Bigorre, cette commune des Hautes-Pyrénées où il fera une halte avant de rejoindre la cité d'Henri IV. «Manette, ma grand-mère, était de là, elle est enterrée juste à côté, elle est partie il y a quatre ans presque jour pour jour.» Son regard se voile. Le silence se fait. Je le sens ému. Très ému. Pour la première fois, peut-être.

Derrière la vitre, des pylônes électriques, l'obscurité.

Le premier tour approche. Plus que neuf jours. L'ambiance change imperceptiblement. Un doute terrible s'insinue. Les troupes d'En Marche! passent du «On peut gagner» à «On peut perdre». Et s'il échouait si près du but? Si les vieux réflexes avaient raison de lui?

Emmanuel M. prépare le grand rassemblement de Bercy prévu le lundi suivant : «Je vais prendre le temps de bosser moi-même sur le discours car je ne suis pas content des derniers.» Je le devine légèrement excédé. Premier signe apparent de nervosité?

Au même moment, Brigitte m'apprend qu'ils redoutent un coup fourré du camp Fillon. «Ils sont capables de dire qu'Emmanuel possède un compte au Panamá ou aux îles

Caïman !» Elle s'efforce d'en rire mais je devine que cette malignité présumée la décontenance. Elle ajoute : «De toute façon, Emmanuel n'a jamais pensé que Fillon était un type sympa. Entre nous, il l'appelle Louis XI.» Louis XI, qu'on surnommait «l'universelle araigne» (ce qu'on pourrait traduire par «grande arai-gnée») en référence à sa ruse et à son caractère sournois. L'évêque Thomas Basin écrivit, aussi, à son sujet : «*Il est un fourbe insigne connu d'ici jusqu'aux enfers, l'abominable tyran d'un peuple admirable.*»

La rumeur du compte offshore doit com-mencer à courir les rédactions puisque, sur Twitter, un journaliste généralement bien informé poste cet énigmatique message : «*Macron va se prendre cette semaine une boule puante. À ce niveau-là, ça s'appelle une arme chimique.*»

Dimanche de Pâques. Les Macron le passent en famille. Dernière halte dans cette campagne trépidante. Repli nécessaire sur le noyau intime. Brigitte me passe un coup de fil. D'emblée, elle plaisante : «Tu seras content : on n'est pas allés à la messe !» L'image se forme aussitôt dans mon esprit : je songe que, même en ce jour saint, elle aurait fait désordre. Je lâche, mi-amusé, mi-affolé : « À une semaine du premier tour, il était préférable effectivement d'éviter ce genre de chose... » Elle redevient alors sérieuse : « Souviens-toi qu'Emmanuel a demandé à être baptisé à l'âge de douze ans. Et n'oublie pas qu'il a côtoyé les pères jésuites au lycée ! Aujourd'hui, il serait plutôt agnostique. Moi, de mon côté, j'ai été élevée dans la religion, donc dans la peur. Eh bien, tu sais quoi, la peur m'est restée. »

Un ami critique littéraire me confie son pronostic : « Toutes les élections présidentielles réservent une surprise. Pourquoi celle-ci échapperait-elle à la règle ? Moi, je n'exclus pas un second tour Fillon-Macron. Puisque la seule chose qu'on n'a pas envisagée une seule fois depuis le début, c'est l'élimination au premier tour de Marine Le Pen. »

Il a raison sur un point (au moins) : la surprise n'a jamais manqué. Qui aurait imaginé le général de Gaulle mis en ballottage en 1965 ? une élection tranchée par la photo finish en 1974 ? la victoire de François Mitterrand en 1981, alors qu'elle était improbable trois mois plus tôt ? la déroute des favoris des sondages de popularité en 1988 (Raymond Barre) et en 1995 (Édouard Balladur) ? la qualification au second tour de Jean-Marie Le Pen en 2002 ?

la présence de Ségolène Royal comme repré-
sentante du PS en 2007 ? l'élimination dans
des conditions rocambolesques de Dominique
Strauss-Kahn pour la compétition de 2012 ?
On jurerait que les pronostics sont faits pour
être déjoués.

À l'approche du vote, je me dis :
Emmanuel M., lui, il pense quoi, réellement ?
Y croit-il ? Est-il en proie au doute ? à l'angoisse de perdre ? à l'angoisse de gagner ? Est-il
gagné par le découragement ? la frustration ?
l'euphorie ? la gravité ? Je ne lui poserai pas ces
questions : il n'y répondrait pas ou répondrait
à côté. Pas le genre à livrer ses états d'âme, ses
pensées intimes, ses espoirs ou ses craintes. Pas
le genre introspectif non plus, peut-être.

(Écrivant cela, il me revient que je lui ai
demandé un jour quelle œuvre littéraire comptait pour lui, et il avait cité, presque sans
réfléchir, *Les Nourritures terrestres* d'André
Gide, cette ode à la vie, à la nature, au désir,
cette apologie d'un certain hédonisme affranchi
des conventions morales et des contraintes
sociales. Un livre où Gide écrit notamment :
« *Tout être est capable de nudité, toute émotion,
de plénitude.* » Je me souviens d'avoir pensé
alors : voilà un choix bien étonnant de la part

d'un homme qui, certes, est vibrant, désirant, hardi, mais qui, dans le même temps, s'oblige à une certaine ascèse, dissimule ou censure parfois ses sentiments profonds, ne se laisse jamais véritablement aller, contrôle presque tout. Mon étonnement persiste aujourd'hui puisque l'homme demeure, à certains égards, un coffre-fort cadenassé. Les livres le vengeraient-ils de la vraie vie?)

17 avril. Au micro de RMC, il démine le terrain, désamorce la bombe qui devait exploser, en prenant les devants, en exposant tout ce qu'il y a à savoir, à comprendre sur son argent, son patrimoine. Ils auront l'air malin, les autres, maintenant, s'ils sortent du bois. M'est avis qu'ils vont y rester.

Il tient ensuite, comme annoncé, son plus grand meeting de la campagne à l'Accor Arena de Bercy. Vingt mille personnes dans la salle, dix mille dehors. Dans les travées, je fais la connaissance de Françoise Noguès, sa mère. D'emblée, elle me confie son anxiété : «Emmanuel m'a dit : "Ne lis plus rien, n'écoute plus rien, ne regarde plus rien, sinon ça te fera du mal." Je sais qu'il veut me protéger mais je n'arrive pas à lui obéir. Je regarde quand même. C'est tellement violent! Bon, je ne lis plus les blogs ou les commentaires : là, c'est de la pure méchanceté, les gens n'ont aucune limite, aucune retenue. Vous savez, moi, je n'imaginais pas une violence pareille. Et je vous l'avoue, je suis surprise qu'il résiste à ça. Pour moi, c'est un garçon sensible. Même si je vois qu'il s'est endurci. »

Emmanuel M. déroule son discours. Il parle de la France, d'avenir, avec fougue, redevient Bonaparte au pont d'Arcole. Il est bon, porté par la foule.

À l'issue de sa performance, je le retrouve en loge. Il ne montre aucun signe de fatigue, encore galvanisé, et visiblement content de ce qu'il a livré sur scène. François Bayrou est élogieux : « C'était votre Bourget à vous [allusion au meeting « fondateur » de Hollande en 2012] et vous l'avez réussi ! » Line Renaud l'embrasse : « J'ai adoré ! Mais tu sais que c'était seulement mon deuxième meeting, le premier c'était avec Chirac il y a plus de vingt ans. » Elle retrouve une certaine jeunesse. François Patriat résume : « De l'épaisseur, de l'émotion. » Seule Brigitte, en aparté, émet quelques bémols : « Encore trop long. Et pas assez incisif. » J'aime que son exigence ne s'avoue jamais vaincue.

On s'isole, lui et moi. « Je vais te faire un aveu : depuis quinze jours, je sentais une chape de plomb et j'étais un peu seul dans ma tête.

Je me demandais si le dévissage allait continuer. Et depuis hier, je sens un retournement. Avec les gens, il y avait un truc chimique. C'est pour ça que j'ai parlé de destin aujourd'hui. »

Plus que six jours pour savoir s'il a raison ou tort.

Le soir même, il livre une de ses ultimes prestations télévisuelles au journal de TF1. Il s'y montre plutôt clair et tranchant. Toutefois, au moment de répondre à une question sur l'euthanasie, je le sens qui vacille, rattrapé par l'émotion. J'en devine la raison. Plus tard, il me la confirme : « C'est Manette [sa grand-mère] qui me hantait. Chacun ses démons. »

Étrangeté de ces fins de campagne : on a hâte que ça se termine, ça n'a que trop duré, et cependant les heures semblent ne pas avancer, on croit qu'on n'atteindra jamais ce fameux dimanche de tous les choix dont on nous a tant parlé.

J'en profite pour examiner ce qui se dit de cette campagne, justement : qu'elle n'a pas permis de dresser un inventaire (puisque le sortant s'y est dérobé), qu'elle a signé « *le règne de la feinte et de la manigance* » (selon les membres du groupe Tarnac), qu'elle a été marquée par « *l'explosion des repères, la colère, la peur, la déception et bien sûr les affaires»* (l'analyse est du patron de *L'Obs*), qu'elle *«sentait mauvais»* (les mots sont de François Hollande). Il est vrai qu'on a atteint un incroyable niveau de férocité, d'acrimonie, qu'on a souffert de nombreux accommodements avec la vérité. Exact aussi qu'on a assisté à l'effondrement ou à la déliquescence des partis qui structuraient la vie politique depuis cinquante ans. Vrai enfin que des boucs émissaires ont été désignés à la vindicte : les immigrés, les musulmans, les juges, les fonctionnaires, les syndicats, les riches, les journalistes et j'en oublie sans doute.

J'examine, par ailleurs, les blessures que cette bataille a occasionnées (et avive davantage encore à l'approche du vote) au sein des familles, dans les groupes d'amis, parmi des proches. Ce n'est pas nouveau, me direz-vous : toutes les joutes électorales révèlent des antagonismes, creusent des fractures. On se chamaille, on se dispute, et puis on s'invective, quelquefois on se déclare la guerre, on est convaincu même de ne jamais pouvoir se réconcilier. Les tiraillements deviennent des tensions, les désaccords des différends, les querelles des fâcheries. Pourtant, il semblerait que les déchirements aient franchi un cap cette année. Ils sont probablement aggravés par le fait que tous les repères sont bousculés, les appartenances brouillées ; aggravés également par la résonance de plus en plus bruyante offerte par les médias et les réseaux sociaux. Ainsi les mélenchonistes sont-ils soupçonnés de faire le jeu du FN, ils rétorquent que le péril représenté par « le candidat de la finance » est au moins aussi grand. Les hamonistes – il en reste – sont instamment conviés à voter utile mais, telle la chèvre de M. Seguin, refusent de se rendre, campant sur leurs valeurs. Les fillonistes accusent les juppéistes de trahir leur camp et de céder au procès stalinien intenté par la presse à leur champion. D'aucuns opposent leurs convictions profondes à ceux qu'ils estiment être victimes d'une hallucination collective. Et souvent ces lignes sont tracées au cœur des familles, ou mettent à l'épreuve les camaraderies. Il faudra sans doute un peu de temps, de recul pour jeter la rancune à la rivière, surmonter le dépit. Car il se joue quelque chose de profondément intime, d'ineffable dans ces brisures. La raison s'égare. Ne demeurent que des sentiments à vif.

Conséquence : l'indécision perdure à un niveau anormalement élevé, la participation est annoncée en baisse, notre démocratie semble malade. Et pourtant. Si on en juge par l'audience des chaînes d'information, des stations de radio, des débats, l'intérêt n'a jamais été aussi élevé. Si on considère que quatre candidats peuvent raisonnablement se qualifier pour le second tour, on pourrait en déduire que l'offre n'a jamais été aussi variée. Si on observe qu'un type de trente-neuf ans sans expérience a des chances de devenir président, on se dit que quelque chose a peut-être déjà changé au royaume de France.

J–3 avant le premier tour. L'incertitude demeure. Conversation avec Brigitte. Elle évoque précisément le jour fatidique : « On arrivera au QG vers 18 heures. Il faudra préparer deux discours, celui de la qualification et l'autre. » Elle plaisante : « Il fera le premier. Tu ne pourrais pas écrire le deuxième ? » Je devine le vertige qui la saisit. Ce sera tout ou rien. Désormais, elle en a pleinement conscience.

De mon côté, je songe : l'aventure tire à sa fin, et donc le livre s'approche de son épilogue. Quel que soit le résultat, il ne restera que quelques pages à écrire et c'en sera terminé. La curieuse marmite dans laquelle j'ai été plongé pendant des mois cessera de bouillir. Une sorte de calme reviendra. C'en sera fini, de l'excitation et du caractère unique de cette situation.

La vie normale reprendra ses droits. J'ai peur qu'elle paraisse un peu fade.

J-2. Le terrorisme frappe à nouveau, et ce dans la dernière ligne droite. Un policier est abattu sur les Champs-Élysées, l'attentat est aussitôt revendiqué par Daech. Ultime coup de théâtre d'une campagne qui n'en aura pas manqué. Après l'émotion et la colère provoquées par cette attaque odieuse et par la perte d'un membre des forces de l'ordre, le débat se focalise sur une question : Quel impact cet événement peut-il avoir sur le résultat du premier tour ? On se souvient qu'en 2002, l'image largement diffusée dans les journaux télévisés de Papy Voise, battu, défiguré par des délinquants, avait sans doute donné un avantage décisif à Jacques Chirac, qui avait axé sa campagne sur les questions de sécurité, et à Jean-Marie Le Pen dont c'était le fonds de commerce. On se souvient aussi qu'en 2012, en revanche, les actes perpétrés par Mohamed Merah, qui avaient pourtant provoqué la sidération et le dégoût, n'avaient pas fait bouger les lignes électorales. Emmanuel M. résume à sa manière : « Nul ne sait si ça aura une influence. Je ne le crois pas. »

Benjamin Griveaux, son conseiller, lui, est plus affirmatif : « Ça ne change rien. Les Français ont hélas pris l'habitude de ces attentats, il n'y a plus d'effet de souffle. Et puis, il ne s'agit pas d'une tuerie de masse.» Il continue à penser qu'Emmanuel M. va se qualifier pour le second tour et qu'il y affrontera Marine Le Pen. Mélenchon? «Il est cornerisé.» Fillon : «En janvier, avant les affaires, il n'était qu'à 24. Je ne vois pas comment il n'aurait pas perdu au moins 4 points dans cette séquence accablante. Il terminera sous les 20.»

En salle de réunion, entouré de ses collaborateurs, Emmanuel M. prépare son intervention. Il y met trop de nuances, trop de phrases complexes, au point que je m'autorise à le corriger. Le communicant Sylvain Fort est formel : «Tu dois parler à l'estomac, à l'imaginaire. Tu dois être gaullien, ou jupitérien.» Le candidat acquiesce, soucieux d'apparaître martial et d'échapper au procès en laxisme ou en inexpérience. Après son allocution (en effet, solennelle), un conseiller résume : «Cette tragédie est peut-être au fond une occasion qui t'était fournie de t'imposer sur le régalien.»

Plus tard, dans la journée, Emmanuel M., sans en faire mention publiquement, s'entretient au téléphone avec le compagnon du policier assassiné. De lui, il me dit : «Digne et bouleversant.» Il ne s'attarde pas, par pudeur, par décence. Ses mots me renvoient à d'autres, prononcés par François Hollande : «La mort habite la fonction présidentielle.» S'il est président dans quinze jours, Emmanuel M. devra vivre avec la mort, celle qu'il ordonnera en envoyant des femmes et des hommes au combat, ou en désignant des cibles, celle qu'il annoncera à des veuves ou des veufs, celle qu'il côtoiera là où l'irréparable aura été commis, celle qui pèsera sur lui comme une menace puisqu'il deviendra lui-même une cible. Il prétend y être prêt. Je crains qu'il ne se trompe. On ne se prépare pas à ça, quand bien même on y a réfléchi, quand bien même on l'a intégré. On sait faire (ou pas) quand ça arrive.

J–1. Temps suspendu. On n'a plus le droit de parler de l'élection à la télévision, à la radio et cependant on ne pense qu'à elle, elle occupe toutes les conversations, alimente toutes les spéculations. Le compte à rebours touche à sa fin. Chacun devine, qui plus est, que le résultat du premier tour fournira presque à coup sûr l'identité du vainqueur. Terrible sentiment d'impuissance dans l'attente du verdict des Français. Demain, leur jugement sera le seul qui compte.

Dimanche 23 avril

Un peu avant 13 heures, Brigitte m'appelle. Ils sont dans la voiture, ils roulent en direction de Paris, ayant renoncé à déjeuner au Touquet car la foule y était trop dense. Elle dit : « Mon mari veut s'arrêter manger sur une aire d'autoroute en baie de Somme, tu le crois ? » Dans quelques heures, cet homme-là sera peut-être à une marche du pouvoir suprême.

17 heures. Au QG, rue de l'Abbé-Groult, la tension est palpable même si l'optimisme semble l'emporter. Des sondages sortie des urnes circulent sous le manteau ou plus précisément sur les écrans des téléphones portables, mais chacun sait qu'ils ne sont probablement pas fiables. Denis Delmas, qui sera chargé d'annoncer les estimations au candidat, invite au calme : « Tout ce qui circule n'a aucune valeur. Soyons patients. » En 2002, il était parmi ceux qui ont annoncé son élimination au candidat Jospin. Il lui en reste quelque chose.

Il commente le chiffre, finalement plus élevé que prévu, de la participation : « On a prétendu que cette campagne n'intéressait pas les gens, c'est un formidable démenti. Il y avait de l'indécision, oui, pas du désintérêt. »

18 heures. Benjamin Griveaux lance à la cantonade : « Si on est premiers ce soir, j'ai trouvé

le tweet que je posterai à 20 heures : la chanson de Nina Simone, "Feeling good". Les paroles en sont : *It's a new dawn, it's a new day, it's a new life.* » Il se dit convaincu que «le regard du monde sur la France va changer». Un peu de lyrisme ne fait pas de mal.

De son côté, le communicant Sylvain Fort est stressé et épuisé : «Je déteste attendre. Et je déteste les surprises.» Il est temps que cette campagne s'achève.

18 h 15. François Bayrou débarque. Lui, pour le coup, est détendu : «J'ai fait un pronostic : Emmanuel sera à 25. Et Fillon sous les 20.» La députée européenne, Sylvie Goulard, se promène avec un sachet de Haribo, proposant des bonbons à qui en veut : «Ce soir, on dévore les crocodiles de la République.»

18 h 45. Le bruit court : Emmanuel M. est arrivé, il s'est installé dans son bureau (il peut y accéder par une entrée à part). Je l'y rejoins. Il connaît les premières tendances. Mais reste prudent dans l'attente des estimations prévues une heure plus tard. Je dis : «Comment tu te sens ?» Parce que, au fond, c'est la seule question qui vaille. Il sourit : «C'est la fin de l'innocence.» Il savoure : «Qui l'eût cru ? Eh bien, nous !» Je le vois animé d'une joie grave.

Il se projette déjà : «Si je suis à 24 [il terminera à 24,01], je fais tanguer dangereusement la droite, je peux restructurer la vie politique française, je demande aux types de prendre leurs responsabilités. »

À mesure que l'heure fatidique se rapproche, il intègre l'information : il sera présent au second tour, il va terminer en tête du premier. Il me dit, un sourire aux lèvres : «Tu te souviens d'André Dussollier dans *Les Enfants du marais* ? Il dit toujours : "Quelle aventure !" et les autres le répètent en chœur. C'est un peu ça. »

Il ne connaît pas encore avec certitude l'identité de son adversaire. «Si c'est Marine Le Pen, je pointerai la faillite des deux grandes familles politiques. C'est quasiment un acte de décès. »

19h50. Denis Delmas annonce les chiffres : ce sera bien un duel Macron-Le Pen au second tour. Le silence domine. Le hasard veut qu'en cet instant (et je jure que c'est vrai), je tourne la tête en direction d'une image encadrée, posée à terre, reposant contre un mur, que j'ai souvent aperçue depuis que je fréquente cet endroit. Elle est signée Shepard Fairey, l'illustrateur américain qui s'est rendu mondialement célèbre en 2008 en créant le poster HOPE de Barack Obama. Elle montre une femme qui sourit, des fleurs dans les cheveux, sur fond bleu blanc rouge, dont le visage est cerné par les mots

«Liberté Égalité Fraternité». Le hasard parfois nous ramène à l'essentiel.

20 heures. L'équipe rapprochée est rassemblée autour du candidat, de sa famille. La télévision est allumée sur France 2. Quand les chiffres apparaissent sur l'écran, c'est enfin l'exultation. Ils peuvent cesser d'avoir peur. Ils ont réussi leur coup. Aussitôt, des embrassades, des félicitations, quelques larmes et le crépitement des téléphones, des messages qui arrivent par dizaines.

20 h 15. François Hollande appelle. Emmanuel M. s'isole. Il a un air grave, il écoute plus qu'il ne parle. Plus tard, il me dira : «C'était très factuel. Il m'a dit d'appeler au rassemblement. Il m'a parlé comme si j'étais le leader de la gauche.» Manière de dire qu'il n'a rien compris. Je lui dis : «Il t'a félicité?» Il répond : «Non.» Puis ajoute : «Mais il m'avait fait un SMS ce matin à 8 heures pour me dire qu'il m'appellerait tôt. Il était certain du résultat.»

20 h 30. Il s'enferme avec moi pour annoter son discours. Même si rien n'est jamais certain, le fait d'affronter Marine Le Pen au second tour lui octroie d'énormes chances de victoire. Je lui dis : «Tu es président de la République, là.» Il ne répond pas. Il me dévisage sans prononcer un mot. Cette image me restera.

Je songe : Emmanuel M. a-t-il entendu la rage, le découragement, l'humiliation, le sentiment d'injustice qui ont poussé quinze millions de Français à voter Le Pen et Mélenchon ? Est-ce de là que lui vient cette retenue, cette gravité ?

Quelques minutes plus tard, un enfant de neuf ans, fils d'un collaborateur, s'approche de lui et lui tend, un peu gauche, un sachet de friandises en guise de cadeau pour le féliciter. Il s'en empare et remercie le garçon, qui file aussitôt. Il plaisante : «En fait, je peux le dire maintenant, j'ai fait tout ça pour ça, ce moment, ces friandises.»

Dans la grande salle du QG, tout le monde est penché sur son écran de téléphone, affairé à répondre aux messages. Une foule de zombies.

Denis Delmas réfléchit à voix haute, sans que personne lui prête réellement attention : «Tout le monde a tapé sur les instituts de sondage, mais qui dira qu'ils avaient vu juste ?» Un éminent professeur de sciences politiques à l'université de Montpellier assurait même, dans une tribune au *Monde*, il y a peu, que les échantillons des sondeurs étaient obsolètes et prédisait une surprise électorale. Je prends les paris qu'il ne viendra pas faire son mea culpa.

Finalement, deux conseillers relèvent la tête et évoquent à mots couverts la question de la constitution du gouvernement : «Ça va pas être facile de dénicher des types qui n'ont pas de casseroles, pas de casier ! Pas facile non plus de convaincre des mecs du privé de diviser leur salaire par dix pour aller se faire insulter à longueur de journée ! »

21 h 30. Un cortège file vers la porte de Versailles où sont réunis les militants d'En Marche !, il est ouvert par une escouade de policiers à moto et accompagné par des reporters eux aussi motorisés. Sur le chemin, des badauds amassés applaudissent les berlines noires. Quelque chose a déjà changé.

Sur place, Tiphaine, l'une des filles de Brigitte, me rapporte les propos d'une professeure du Pas-de-Calais : « Elle m'a dit : tout de même, votre beau-père, c'est une sorte de chevalier des temps modernes. »

22 heures. Emmanuel M. prononce un discours sans relief (où est passé le fameux chevalier ?), assez éloigné hélas de la première mouture (sa manie de réécrire jusqu'à la dernière minute lui cause du tort, une fois encore). Mais surtout il donne l'impression d'enjamber le second tour. Au fond, il est victime de sa rapidité. Il va très probablement l'emporter dans deux semaines : par conséquent, il prépare le coup d'après. Or les gens ont horreur qu'on aille plus vite qu'eux, qu'on brûle les

étapes, qu'on ne respecte pas les horloges. À coup sûr, ils lui feront sentir qu'il n'en est pas le seul maître.

23 heures. Une fois les bénévoles remerciés (et ils étaient chavirés), on se dirige, toujours cernés par des motos, vers La Rotonde, une brasserie de Montparnasse où le candidat qualifié a ses habitudes. Il s'agit pour lui de remercier ceux qui l'accompagnent depuis le premier jour, les militants, les collaborateurs. Cependant, dès que j'aperçois la forêt de caméras, de projecteurs et de perches (comme si on était au soir d'un deuxième tour !), je redoute que les images ne rappellent celles du Fouquet's, de sinistre mémoire. Je ne me figure pas néanmoins, je le concède volontiers, que ces agapes seront tellement discutées. Je ne sais pas que les asperges proposées et les radis picorés deviendront demain, dans l'imaginaire collectif, un buffet indécent. Je ne sais pas davantage que la présence de trois comédiens de théâtre et d'un animateur suffira pour qu'on parle, avec gourmandise ou effroi, d'une «soirée people».

Emmanuel M. passe de table en table. Sa démarche est lente, son expression énigmatique, sa parole parcimonieuse.

Brigitte, quant à elle, dissimule son affolement derrière des sourires un peu trop appuyés peut-être.

Il est près de 1 heure du matin quand on se sépare. Dehors l'air est doux. Je me souviens de l'entame d'un discours prononcé une semaine plus tôt à Bercy : «Entendez-vous le murmure du printemps ?»

Au lendemain du premier tour, parmi les messages arrivés sur mon téléphone portable, je retiens celui d'Antoine Leiris, qui a perdu sa femme dans l'attentat du Bataclan et écrit le déchirant *Vous n'aurez pas ma haine* : «Je suis fier de mon pays. Fier que trois jours après une nouvelle blessure en son cœur, il choisisse l'optimisme, l'ouverture, la liberté. Mais rien n'est gagné. Et la responsabilité est immense. Les frontières de ce que notre pays veut être et devenir se dessineront dans le moment démocratique qui nous attend dans deux semaines à peine. Ne le manquons pas. Il n'est plus seulement question d'Emmanuel Macron désormais. Il est question de la France. Une et indivisible.»

Et, au milieu d'une avalanche d'analyses et de commentaires, je retiens ceci, publié dans *Libération* : «*C'est le plus grand casse de la Ve République. Inconnu il y a trois ans, étranger* *au combat social et jamais élu, Emmanuel Macron s'est qualifié dimanche soir pour le second tour de la présidentielle devant Marine Le Pen. Un pari fou en passe de lui ouvrir les portes de l'Élysée, lancé sous les ricanements de la classe politique et bouclé par un coup de fil d'encouragement de Barack Obama et le soutien de Dominique de Villepin. Derrière cette ascension fulgurante, une analyse précoce du délabrement du système partisan, une habilité managériale hors du commun et un alignement des planètes jamais vu dans une élection. Un hold-up bien pensé, bien mené, où la fortune a plusieurs fois souri à l'audacieux.* »

Le séisme politique, l'élimination des deux partis qui dirigent la République depuis cinquante ans, la présence de l'extrême droite au second tour avec un nombre de suffrages jamais atteint, le surgissement d'un novice, la fracturation de la France, on se dit que tout cela devrait occuper les analystes. Mais non. Ce qui intéresse les commentateurs professionnels et les réseaux sociaux, c'est la soirée de La Rotonde. Comment peut-on, à ce point, préférer l'accessoire à l'essentiel ?

Et puisque ces agapes sont devenues *le* sujet, puisque le ressenti a une fois pour toutes pris le pas sur le réel, j'interroge le candidat. Il est catégorique : «La Rotonde? J'assume totalement. C'est nous. On fête avec les gens qui ont fait et je les emmerde. C'étaient pas des people, c'étaient des courageux. Je protégerai les faibles et je célébrerai les braves, c'est la France que je veux. Je ne leur céderai rien. Qu'ils aillent à Montretout chercher les châteaux. Chez moi, on fait et on fête.»

Je lui fais alors remarquer que son invisibilité en ce premier jour d'après-vote alors que Marine Le Pen est partout, sur un marché, au JT de France 2, à Rungis, provoque une sensation étrange, de flottement, de vide. Là encore, il est tranchant : «Je l'assume. Je veux de la rareté et de la gravité. Je ne veux pas être un président BFM. Elle, elle en joue le jeu, moi non. Elle a pris ce pli mais ne le tiendra pas. La parole doit être rare mais forte.» J'ai peur que son raisonnement ne convienne pas à une époque qui est devenue l'époque BFM, précisément. Et puis, il n'est pas encore président!

Au-delà de ces «remugles» (le mot est de lui), ce qui me frappe, c'est la relative bienveillance avec laquelle est traitée Marine Le Pen. Aucune manifestation ou presque en France, une réelle apathie même, comme si nous étions devenus amorphes, comme si tout était normal. Un front républicain qui peine à se constituer avec les atermoiements des mélenchonistes, les hésitations d'une partie des Républicains et les appels à l'abstention ou au vote blanc, alors qu'il n'avait manqué aucune voix à Jacques Chirac au second tour en 2002. Des médias qui oublient de poser les questions qui dérangent (est-ce « une fascination morbide », comme je l'entends ici ou là ?). Je m'étonne par exemple qu'on puisse laisser Marine Le Pen dire, sans rien lui objecter, qu'elle est la candidate anti-système et de la nouveauté alors qu'il y a un Le Pen à la présidentielle depuis quarante ans et pour encore quarante ans sans doute, qu'elle est la candidate du peuple alors qu'elle est née à Neuilly, a été élevée à Montretout, cernée de domestiques, n'a jamais travaillé et a hérité d'un parti politique, qu'elle a les mains propres alors que le FN est visé par des enquêtes judiciaires, mis en examen et qu'elle-même refuse de se rendre à la convocation des juges, qu'elle est contre l'oligarchie quand on connaît ses liens avec la mafia Poutine, et ce ne sont que des exemples parmi d'autres. On apprend aux enfants qu'il ne faut pas jouer avec le feu. Nous voici devenus un peuple d'enfants.

Je tombe sur ce texte écrit par Victor Hugo en 1848 : « *Quel est le républicain, de celui qui veut faire aimer la République ou de celui qui veut la faire haïr ? Si je n'étais pas républicain, si je voulais le renversement de la République, écoutez : je provoquerais la banqueroute, je provoquerais la guerre civile, j'agiterais la rue, je mettrais l'armée en suspicion, je mettrais le pays lui-même en suspicion, je conseillerais le viol des consciences et l'oppression de la liberté, je mettrais le pied sur la gorge au commerce, à l'industrie, au travail, je crierais : "Mort aux riches !" En faisant cela, savez-vous ce que je ferais ? Je détruirais la République. Que fais-je ? Tout le contraire. Je déclare que la République veut, doit et peut grouper autour d'elle le commerce, la richesse, l'industrie, le travail, la propriété, la famille, les arts, les lettres, l'intelligence, la puissance nationale, la prospérité publique, l'amour du peuple et l'admiration des nations. Je réclame la liberté, l'égalité, la fraternité et j'y ajoute l'unité. J'aspire à la république universelle. Savez-vous à qui il faut dire : "Vous n'êtes pas républicain" ? C'est aux terroristes. Vous venez de voir le fond de mon cœur. Si je ne voulais pas la République, je vous montrerais la guillotine dans les ténèbres et c'est parce que je veux la République que je vous montre dans la lumière la France libre, fière, heureuse et triomphante.* » Plus actuel que jamais.

Depuis quarante-huit heures, la petite musique distillée est celle d'une campagne de deuxième tour qui peine à démarrer, on sentirait un flottement du côté d'Emmanuel M., on évoque un triomphalisme prématuré. C'est le moment qu'il choisit pour se rendre en terrain miné, l'usine Whirlpool d'Amiens, en grève, menacée de délocalisation, symbole d'un capitalisme qui ne songe qu'au profit et d'une Europe qui favorise le dumping social. Je songe qu'il n'y a que des coups à prendre, je me demande qui a pu avoir l'idée saugrenue de l'envoyer en territoire aussi hostile. Je crains que ce ne soit le candidat lui-même qui ait choisi de se jeter dans la gueule du loup. L'affaire s'engage par une discussion dans les locaux de la chambre de commerce avec l'intersyndicale. Pourquoi pas ? Mais les images d'une salle de réunion et d'un dialogue distancié ne sont pas du meilleur effet. Elles sont subitement télescopées par une autre image, celle de Marine Le Pen débarquant sans prévenir devant l'usine, se mélangeant à ceux qu'on présente comme des salariés, faisant des selfies, embrassant une femme éplorée, comme dans les mises en scène soviétiques d'antan, promettant qu'avec elle la casse n'aura pas lieu. Les chaînes info crient aussitôt au coup de com' génial. Elle est venue à l'improviste le défier, lui couper l'herbe sous le pied, elle est au milieu de ceux qui souffrent tandis qu'il parlemente au loin. Elle repart sous les vivats. On annonce alors sa venue à lui. On parle d'une visite contrainte et forcée, non prévue à l'agenda. En somme, il se fait dicter sa conduite par sa concurrente. Quand il s'avance, il est accueilli par les sifflets, les huées. À cet instant précis, le naufrage est absolu, le fiasco total. Et on se demande comment cet entre-deux-tours qui devait avoir pour lui l'allure d'une marche triomphale peut virer à ce point au chemin de croix. Sauf que, contre toute attente, le retournement va se produire. L'image, c'est celle de l'homme courageux s'avançant vers la foule hostile, venant au contact, recherchant le dialogue, le débutant certes dans la confusion mais l'obtenant pourtant. Dans l'échange, il se montre vif, clair, solide, nullement ébranlé, il argumente, refuse les engagements intenables. Au bout d'une heure, il quitte l'assemblée calmée en serrant les mains de chacun. On se dit alors qu'on a assisté à deux manières radicalement différentes de concevoir la politique : d'un côté, celle de Mme Le Pen, consistant à faire des photos, sur un parking, avec des militants et des nervis, tenant des promesses mensongères, restant dix minutes et se félicitant de son coup de com', de l'autre celle d'Emmanuel M., dialoguant plus d'une heure avec les syndicats, allant au fond des dossiers, allant ensuite au contact des ouvriers, écoutant leur colère, y répondant point par point, pied à pied, disant la vérité, même cruelle.

Dans la foulée, il se rend à Arras, pour tenir un meeting. Là, devant une foule en liesse, il passe à l'offensive, parlant sans notes des fractures françaises, passant son adversaire à la sulfateuse, improvisant, manifestant de la fougue, de la colère, du talent. Démontrant qu'il donne le meilleur de lui-même lorsqu'il est dos au mur. Une fois sorti du ring, il me dit : «Je viens de tout défoncer. La campagne de second tour commence. Ils vont comprendre.»

On peut reprocher beaucoup de choses à Emmanuel M., et d'ailleurs depuis la proclamation des résultats du premier tour les récriminations ne manquent pas, elles portent sur ses ambiguïtés, son libéralisme, sa jeunesse, certaines sont justifiées, mais il est au moins un point sur lequel tout le monde tombe d'accord : il ne manque ni de courage ni d'énergie.

Le lendemain, au QG, remonté comme un coucou, il admoneste ses troupes qu'il trouve amorphes : «Vous vous parlez entre vous ? Parce que ça manque de transversalité, là ! Soyez dedans, les mecs ! Ça se joue maintenant ! » J'ai l'impression d'entendre Aimé Jacquet gronder Robert Pirès pendant la Coupe du monde 98 : «Muscle ton jeu, muscle ton jeu, Robert, si tu ne muscles pas ton jeu, fais attention, je t'assure, tu vas voir, tu vas avoir des déconvenues parce que t'es trop gentil. »

(Lui-même n'est pas que gentil. Il peut se montrer dur, s'il l'estime nécessaire. Cinglant aussi bien qu'intraitable. Dans l'exercice du pouvoir, il n'éprouvera guère de difficulté à se montrer tranchant.)

Énième rebondissement dans cette campagne. Nicolas Dupont-Aignan s'en va, toute honte bue, soutenir l'extrême droite. On murmure que Marine Le Pen éponge ses dettes en échange de son ralliement. En somme, elle escompte récupérer des voix en sortant son chéquier.

L'heure est si grave entre ces deux tours, la confusion si grande entre l'essentiel et l'accessoire, qu'Alain Juppé croit nécessaire de s'exprimer : «*La France court au désastre. Ce qui paraissait impossible il y a peu de temps encore n'est plus aujourd'hui improbable : Mme Le Pen peut devenir la présidente de la République française; à tout le moins le score du Front national au deuxième tour peut dépasser la barre des 40 % [...], ce qui serait déjà un coup de tonnerre politique. [...] La vérité est criante : l'histoire, l'idéologie, les hommes et les femmes qui ont fondé ou animent ce parti, bref le monde FN est depuis toujours aux antipodes du nôtre; son anti-gaullisme a été constant depuis 1940. [...] Peuple de France, ressaisis-toi [...].»*

Le patron de l'hebdomadaire *Marianne*, constatant que le rejet de Le Pen semble devenu accessoire par rapport à la haine de Macron, pointe «*un aveuglement suicidaire*». Et pose la question : «*Sommes-nous devenus fous?*»

Dans *Libération*, Christine Angot trouve les mots justes. À propos de tous ceux qui ne s'opposent pas «*radicalement*» au FN, elle écrit : «*Il y a des trous dans leur mémoire et dans leur conscience.*» Elle sait que l'essentiel est en jeu, alors elle ne finasse pas : «*Voter Macron pour faire barrage au FN, c'est un minimum. Si nous ne faisons pas ce minimum, alors là, nous sommes des salauds. Des salauds qui se sentent protégés et qui se foutent du reste.*» Je partage son effroi et sa colère, on s'en parle, on a l'impression de prêcher dans un effrayant désert.

Dimanche d'entre-deux-tours. Conversation avec Emmanuel M. Je m'étonne qu'il tape encore sur Mélenchon alors qu'il aura besoin de ses électeurs. Que Mélenchon soit en dessous de tout ne fait guère de doute, il est quasiment sorti du champ républicain en expliquant ne pas faire de différence « entre l'extrême finance [*sic*] et l'extrême droite » (« *Si c'est un choix tactique, c'est une erreur politique*, regrette Robert Badinter ; *si c'est l'expression d'une conviction, c'est plus grave encore* »), le tribun n'est plus qu'un astre mort, mais ceux qui ont voté pour lui ne doivent pas pour autant être culpabilisés. Je lui fais remarquer que manque une image d'union nationale face au péril facho. Il s'explique : « Je le ferai lundi, lors du rassemblement organisé à la Villette, mais je me méfie d'être celui qui supplie pour un front républicain qui n'aura pas lieu. Et d'être le porte-étendard d'un vieux système récusé. Il faut assumer jusqu'au bout ce qu'on est. » Je lui objecte : « Tu ne le fais pas pour eux, tu le fais pour les électeurs, afin qu'ils ne se réfugient pas dans une abstention qu'ils justifieront après coup. Le réflexe anti-FN semble s'être perdu. Il faudrait revenir à l'essentiel. »

Il se fait tranchant : «Mieux vaut gagner sur une base claire à 60 % que sur l'ambiguïté à 70 %». Mais si le 60 se transforme en 55, ou moins ? Il ne répond pas.

Mai

Le candidat tient meeting à la Villette. Sur le fond, rien de neuf. Plus du tout de place pour la surprise, l'invention. On répète désormais. On est en boucle. Ce qui importe n'est pas le propos mais la présence. Ce à quoi on s'intéresse n'est pas la parole d'un homme mais la densité de la foule. Pour autant, au milieu d'un discours convenu, surgit un moment de vérité fondamental. Le matin même, dans sa traditionnelle adresse au pied de la statue de Jeanne d'Arc, Jean-Marie Le Pen a attaqué Emmanuel M., disant de lui : «Il parle d'avenir mais il n'a pas d'enfants.» L'attaque n'est pas passée inaperçue, elle a fait mouche : le beau-père des enfants de Brigitte, celui que chacun dans la famille considère comme le grand-père des petits-enfants («Daddy»), ne peut pas la laisser sans réplique. Alors, soudain, au détour d'une phrase, son regard vire au sombre, le ton se fait martial quand il lance : «J'ai des enfants et des petits-enfants de cœur!» mais la voix chevrote, trahissant à la fois une colère et une émotion. C'est sa zone sensible. C'est sa fragilité non dissimulable. C'est son talon d'Achille : si on veut l'atteindre, lui, si on veut lui faire perdre son calme, alors c'est là qu'il faut porter le fer.

Emmanuel M. répugne à se confier : cet instant parle pour lui.

3 mai. 13 heures. Ultime réunion au QG avec ses lieutenants en vue du débat qui doit l'opposer le soir même à Marine Le Pen. Le candidat paraît plutôt serein, concentré. Fatigué aussi. Il connaît ses dossiers et ses forces. Il anticipe les angles d'attaque de l'adversaire. Il récuse les punchlines qui lui sont proposées, se méfiant des formules préparées, s'en tient aux argumentaires (dommage, c'était pas mal, par exemple : «*Vous prétendez que je suis le fils adoptif de François Hollande mais vous, vous êtes bien la fille naturelle de votre père*» ou «*Vous me présentez comme le candidat de la finance, c'est toujours mieux que d'être la candidate de la faillite*» qu'on a vu fleurir ici ou là). Cela étant, la pédagogie est-elle la meilleure réponse à la démagogie ? Et qu'a-t-on retenu des précédents débats présidentiels sinon des phrases chocs, des reparties soigneusement mitonnées, des assassinats en règle ?

Il se tourne vers moi : «Tu ne dis rien?» Je fais non de la tête. Il insiste en souriant : «Tu ne me donnes même pas un petit conseil de dernière minute?» Je suis tenté de persister dans la négative, convaincu que, de toute façon, il fera exactement comme il l'a décidé ou comme il le sentira sur le moment, confiant en ses choix comme en ses intuitions. Pourtant, je m'entends lui dire : «Tu as trop tendance à vouloir répondre aux attaques, tu ne peux pas t'en empêcher, et parfois tu es trop long dans tes répliques, et ce n'est pas forcément payant d'aller sur le terrain de l'autre. Lutte contre ton naturel bagarreur.» Il paraît acquiescer, dans un sourire.

20 heures. Arrivée au studio 107 à la Plaine Saint-Denis. François Bayrou est là. Comme je lui demande s'il a le calme des vieilles troupes, il se récrie : «Pas du tout! J'ai peur! D'abord, moi, j'ai le trac pour moi-même avant toute confrontation. Et là, je redoute ce qui pourrait arriver.» La peur par procuration, en somme.

21 heures. Le débat commence. Il est d'une violence inouïe. Marine Le Pen manie l'invective, accumule les mensonges, multiplie les insinuations, esquive la discussion sur le programme et démontre une incompétence crasse. Sa prestation – embarrassante – est un naufrage. Emmanuel M. a bien du mérite à garder

son sang-froid : franchement, on peut lui confier les codes nucléaires ! Mais au moins, il surnage sans difficulté. Le match est plié.

23 h 30. Quand il revient en loge, il est détendu. Qui pourrait croire qu'il sort d'un ring de boxe ? Chacun y va de son compliment et il semble découvrir qu'il a remporté la mise. Coquetterie ou sincérité de celui qui manque de recul ? Il n'a pas un mot pour (ou contre) son adversaire, il est déjà ailleurs.

Le lendemain, Marine Le Pen affirme, pour justifier sa prestation (unanimement jugée calamiteuse) : « J'ai fait ce que le peuple attendait de moi. » Quelle vision en a-t-elle ? Croit-elle que le peuple est une foule vociférante et vulgaire ?

Dimanche 7 mai. Second tour. Jamais les mots de François Mitterrand, pourtant datés de 1974, n'ont paru aussi justes : « *Deux candidats devant des millions de femmes et d'hommes, deux visages d'ombre et de lumière, deux regards qui se croisent sans plus se rencontrer, deux voix qui parlent de deux mondes, écho de deux présents, promesse de deux futurs ; cette France ainsi partagée, comme il faudra s'occuper d'elle !* »

Emmanuel M., convaincu de l'emporter (les sondages lui accordent 63 % d'intentions de vote) me confie : «Ce soir, une nouvelle étape commence, mais qui n'est pas la fin de cette période. Elle en sera la suite sous d'autres formes. Ce sera un temps de conquête, de fracas et de gel. Un temps où le symbole peu à peu dévorera le reste. Et, à la fin, seulement, nous saurons.»

19 heures. Il réunit une partie des troupes afin d'exprimer sa gratitude à ceux qui l'ont aidé dans le combat. Et soudain il s'interrompt, soudain il ne peut pas poursuivre son monologue improvisé, son regard s'embue, il se pince les lèvres, à l'évidence il est ému, en cet instant sa pensée va vers Corinne Erhel, députée des Côtes-d'Armor brutalement décédée deux jours plus tôt lors d'un dernier rassemblement de soutien, il s'efforce de contenir son émotion, il est cet homme qui d'ordinaire ne la montre pas, il se reprend, il reprend, sa voix est hésitante, il évoque la cruauté du destin parfois, il dit que Corinne aurait été heureuse, et finalement renoue avec le fil de son discours de remerciements. Il restera ces trente secondes pour nous qui étions là, trente secondes d'une vérité nue.

19 h 45. Brigitte M. me parle du message que lui envoie Carla Bruni-Sarkozy. Je suis très admiratif de l'élégance avec laquelle se passe le flambeau.

Je ne peux m'empêcher de lui demander ce qu'elle ressent. Elle préfère me répondre par un sourire énigmatique, afin que je l'interprète à ma façon. Moi, j'y discerne – forcément – de la joie, de la fierté et de l'appréhension. Mais je devine qu'il contient autre chose, ce sourire : la satisfaction d'avoir tenu bon. Car je les ai vus l'un avec l'autre, l'un à côté de l'autre pendant ces longs mois. Je savais la force et la singularité de leur lien. Cette campagne longue et frénétique aurait pu l'entamer, du fait de la nécessité où Emmanuel M. s'est trouvé de se consacrer à la conquête du pouvoir et donc d'accorder moins de temps, moins d'attention à son couple, du fait de la fatigue accumulée, du fait des inévitables tensions surgies en cours de route, des incompréhensions, des divergences d'appréciation (et il y en eut : j'en ai vu quelques-unes se faire jour, à propos du rythme de la campagne, des discours, ou de l'entourage, jamais à propos de l'objet même de cette aventure, jamais non plus à propos du programme, des orientations). À la fin, il me semble que c'est l'inverse qui s'est produit : le lien s'est encore renforcé. Parce que ce qu'ils ont accompli, ils l'ont accompli ensemble. Le but finalement atteint, ils l'ont atteint ensemble.

20 heures. Emmanuel M. remporte l'élection avec 66 % des voix et plus de 20 millions de suffrages. Il devient le plus jeune président de la République dont la France se soit jamais dotée. Il sera le plus jeune chef d'État en fonction dans une démocratie. Décidément, cet homme qui sourit devant moi, parce qu'il est heureux mais dont le regard se voile, parce qu'il est grave, cet homme-là est un personnage de roman. Celui qui incarne l'ambition dans les récits d'aventures et d'action, celui qui cherche à affronter le monde dans le roman réaliste, celui qui, soumis aux élans et aux affres de la passion, s'invente un destin dans le grand mouvement du romantisme.

On dira, on écrira qu'il a réalisé un hold-up (du reste, dans l'euphorie de la victoire, un collaborateur lance, avec ironie : « On a réussi un braquage. Il faut dire qu'on connaissait le proprio [Hollande] et qu'on avait les plans [ceux de l'Élysée]. On a fait comme dans *Ocean's Eleven*, sauf qu'on était moins nombreux »), on serinera que, dans des circonstances normales, il n'aurait jamais dû réussir, on répétera que sa consécration est une insulte aux lois de la probabilité, mais force est de reconnaître que tout ce qu'il avait théorisé ou prophétisé s'est accompli : l'anormalité – précisément – des circonstances, l'effondrement des partis traditionnels sous le poids de leurs divisions et des ego boursouflés de leurs représentants, la disparition d'une caste qui tenait les rênes depuis des décennies, le désir profond, presque charnel d'un renouveau, d'un chambardement, la recherche d'un nouveau visage et le combat décisif entre les progressistes et les réactionnaires. Il aura su également s'appuyer sur les techniques électorales qui avaient fait le succès d'Obama, et notamment un puissant réseau de bénévoles allant à la pêche aux voix, le recours à des algorithmes, une utilisation massive et intelligente de données. Et surtout, peut-être, il n'aura pas commis d'erreurs quand la plupart de ses concurrents auront mal joué la partie. S'est ajouté en fin de parcours le déshonneur pour quelques-uns : Dupont-Aignan pactisant avec le diable, Mélenchon commettant une irréparable faute morale. (Une campagne électorale révèle le caractère des hommes. Pour le meilleur et pour le pire.) Aujourd'hui, Emmanuel M. reste à peu près le seul debout et il contemple un champ de ruines. Il fallait probablement en passer par ces ultimes ravages pour espérer construire quelque chose de neuf.

Un peu avant 23 heures, il se rend au Louvre pour saluer la foule. Son entrée solitaire, lente, solennelle, sur fond de Pyramide, au son de *L'Ode à la joie*, fera le tour du monde.

(Quand il m'avait raconté cette scénographie, l'après-midi même, je lui avais dit : « C'est très mitterrandien, ton truc. » Et au fond de moi, j'avais pensé : « C'est too much. » En voyant la scène, je me dis : « C'est, en effet, too much. » Mais je comprends que c'est incroyablement efficace, et je me souviens que le pouvoir est affaire de symboles.)

Bientôt minuit. On retraverse le Louvre désert ; ne manque que Belphégor. On monte à bord des voitures officielles et le cortège repart en direction du QG. On a le sentiment étrange de fendre une foule tant les trottoirs sont bondés. Les Français espèrent apercevoir leur nouveau champion derrière les vitres teintées. On dirait bien qu'il y a un peu de joie dans les rues de la ville. On grille les feux rouges pour rejoindre rapidement la rue de l'Abbé-Groult. Là, un buffet (modeste – les commentateurs ne pourront pas gloser, cette fois) a été dressé : les soldats de la première heure peuvent enfin trinquer à la victoire. Parmi eux, dont la gaieté est sincère, j'aperçois de nouveaux visages.

Le pouvoir aimante les opportunistes. L'ancien monde n'est pas tout à fait mort.

Lundi 8 mai. Aujourd'hui, tout commence. Dans une France aspirant à un changement profond mais rétive aux réformes sérieuses, aux révisions déchirantes, quelle sera la capacité à agir de l'élu ? Dans une France sans repères véritables, sa seule détermination suffira-t-elle à fixer et trouver le cap ? Et, d'abord, dans une France si paradoxale, se retrouvera-t-il demain avec une majorité parlementaire hostile ou simplement relative, ramenant le pays à ses blocages habituels ou le plongeant dans l'ingouvernabilité, ou bénéficiera-t-il d'un blanc-seing ? En tout cas, ce ne sera pas une sinécure de présider la République. Franchement, pourquoi veut-on faire un boulot pareil ?

(À coup sûr, lui, il répondrait quelque chose comme : «Pour être utile, et parce que je suis convaincu que je saurai le faire.»)

Il y a autre chose : un homme qui suscite tellement d'espoirs n'est-il pas condamné à les décevoir ?

François Hollande, le président sortant, a convié le président élu à assister aux cérémonies commémoratives de l'armistice de 1945, sur les Champs-Élysées. On *voit* les retrouvailles se produire sous nos yeux. L'image est frappante. Et diversement appréciée. Ceux qui ont glosé sur le parricide sont étonnés par la tendresse manifestée par celui qui s'en va à l'égard de celui qui va le remplacer. Ceux qui ont théorisé la continuité dissimulée entre eux en tirent la conclusion qu'ils avaient raison. François Hollande, en tout cas, se montre ravi et paternaliste, comme si ce qui était advenu était un peu son œuvre, et je ne peux m'empêcher de penser à la phrase de Cocteau : « *Puisque ces mystères nous échappent, feignons d'en être l'organisateur.* » Et, contemplant la complicité entre les deux hommes, je me remémore la prophétie formulée par Brigitte M. à l'automne précédent : « Ces deux-là se retrouveront. »

Dans le QG transformé en bunker, se jouent la composition d'un gouvernement, la fabrication d'un cabinet, la finalisation d'investitures, la recomposition de la vie politique. Au-delà des questions – essentielles – qui touchent au destin du pays, se nouent et se dénouent des destins individuels : certains hommes accéderont au Graal quand d'autres en seront écartés, certains seront demain aux manettes quand d'autres verront leurs rêves secrets ou formulés se briser aux portes du palais, certains deviendront les nouveaux puissants, courtisés et redoutés quand d'autres n'auront que leurs yeux pour pleurer et leur rancune à ruminer. Le roi tranche, le roi décide.

Conversation avec un proche conseiller au sujet de ce que seront les premiers jours du nouveau quinquennat : «Emmanuel a vu de très près ce qu'est un début de mandat raté. Il suffira qu'il fasse le contraire.»

13 mai. Quatrième anniversaire de la mort de mon père. Qu'aurait-il pensé de tout cela? Cette campagne extravagante? Cette élection inattendue? Ce jeune homme hors du commun? Ma proximité avec cette aventure? Il n'aurait sans doute pas manqué de me rappeler que ma famille, c'est la gauche, et qu'à trop approcher le soleil, on court le risque de se brûler les ailes. Mon père avait raison.

14 mai. Passation de pouvoir. Sur le carton qu'on m'a fait parvenir, il est écrit «Cérémonie d'installation». Le diable se niche dans les détails.

Je n'avais jamais mis les pieds à l'Élysée. J'y pénètre par la rue du Faubourg-Saint-Honoré. Je traverse la cour où on a déroulé un tapis rouge, gravis les marches, pour me retrouver dans le vestibule d'honneur. Là, je suis dirigé vers la salle des fêtes. Je contemple les lourdes tentures rouges, les lustres gigantesques, les dorures, cette pesanteur. Je me souviens de les avoir vus à la télévision. Sensation de marcher dans un décor.

J'avoue être assez insensible à pareille magnificence. Pour être sincère, je me sens même en profond décalage avec cet apparat. Les premiers visages qui apparaissent aggravent encore cette sensation. C'est le vieux monde qui débarque : corps constitués, grandes figures fatiguées, dignitaires octogénaires, reliquats d'anciens régimes, élus cumulards, costumes empesés. Débute alors un spectacle mi-amusant, mi-tragique : retrouvailles appuyées, accolades factices, airs satisfaits, airs entendus, gargarismes. À l'évidence ils n'en sont pas à leur première cérémonie, ceux-là, ils trouvent normal d'être invités, ils doivent regarder ce nouveau président comme une anomalie, une incongruité, peut-être une lubie, mais ils ne manqueraient l'intronisation pour rien au monde, puisqu'il est si difficile pour eux d'envisager d'abandonner une once de pouvoir, et parce qu'ils ont tant besoin de se croire encore importants. Certains jouent des coudes pour se tenir au premier rang.

Dans la foule, je cherche des visages familiers. Je repère non loin de moi Tiphaine Auzière, la fille cadette de Brigitte, visiblement émue. Assez logiquement, je lui demande ses impressions. Elle me raconte un dimanche après-midi au Touquet en janvier 2016, seize mois plus tôt. Emmanuel M. l'interroge : «Quand comptez-vous vous marier, les enfants?» (elle est en couple depuis longtemps, déjà maman). Plaisantant, elle répond : «Quand tu seras président !» Son beau-père la prend au mot, en souriant : «Méfie-toi, cela pourrait arriver plus vite que tu ne le penses !» Elle me confie : «Difficile d'imaginer alors qu'un an et trois mois plus tard, il allait devenir le plus jeune président de la République française.» Elle poursuit : «Au printemps 2016, c'est en famille à Paris qu'on a réfléchi à la dénomination du mouvement d'Emmanuel. "En marche !" a fait l'unanimité, ça caractérisait bien le mouvement attendu par les citoyens et l'ambition d'Emmanuel pour notre pays. Mais dès le lancement du mouvement, il a fallu faire face aux critiques. On nous expliquait qu'on ne pouvait pas changer le système. C'était comme un écho à ce que j'avais pu entendre quelques années auparavant au sujet d'Emmanuel et de ma maman. Pour les bien-pensants, il était inconcevable qu'une femme avec trois enfants quitte son mari pour un homme plus jeune. Désagréable sentiment pour une adolescente que de se dire que tout est écrit et qu'on est déterminé à vivre selon un schéma préétabli. En réalité, l'amour d'un couple et, quelques années plus tard, l'adhésion d'un pays se sont joués du destin. C'est bien évidemment la victoire des urnes qui a permis l'avènement d'un président humaniste mais à mes yeux il y a aussi un succès invisible. Celui d'un homme, d'une femme et d'un couple qui ont montré aux Français que l'on peut choisir son avenir. Je suis très fière de dire à mes enfants que leurs grands-parents ont tracé le début du chemin pour eux. Ils devront être les gardiens de cet espoir.»

Pendant ce temps, les deux présidents sont eux aussi en grande conversation, ça parle des dossiers chauds, ça s'échange les codes nucléaires, et puis ça discute aussi sans doute du temps qu'il fait, de la vie ordinaire, ça dit : «Quelle histoire, quand même»; y a pas de raison.

On attend toujours. On a mal aux jambes.

J'observe à la dérobée les parents d'Emmanuel M., qu'on a installés sur des chaises. J'imagine leur fierté (elle serait légitime). Et cependant, ils paraissent un peu distants, sur la réserve, comme si leur place n'était pas vraiment ici, comme s'ils se souvenaient que leur fils leur a échappé il y a bien longtemps, qu'il s'est inventé loin d'eux, sans eux peut-être.

Finalement un frisson parcourt l'assemblée : l'élu arrive. Il est annoncé par ces mots, pour la première fois à lui adressés : « Monsieur le président de la République. »

S'ensuivent un discours solennel et une série de poignées de main. Emmanuel M. a déjà physiquement changé, il est plus grave, plus lent, plus distant.

Quand il parvient à ma hauteur, se remémorant que c'est l'été précédent que je lui ai exposé le projet d'un livre, il me lance, dans un sourire : « Le moins qu'on puisse dire, c'est que tu as eu du discernement. » Je lui souris en retour. Je pourrais lui objecter que non, je n'en ai pas eu, du discernement, puisque je ne croyais pas à cet épilogue. Mais au fond, il n'a pas entièrement tort puisque ce qui m'a attiré vers lui, c'est son absolue singularité : elle se vérifie en cet instant historique.

Quelques minutes plus tard, il se tient sur le perron arrière de l'Élysée, on lui rend les honneurs militaires, je m'abrite derrière une fenêtre, je le scrute, et l'image originelle me revient : il y a neuf mois, neuf mois à peine, le jeune homme s'était glissé à l'intérieur du palais par une porte dérobée, cette fois il y est entré par la cour d'honneur, accueilli par la Garde, remontant lentement un interminable tapis rouge. Il y a neuf mois, il était venu annoncer au président son départ, voici qu'il signe son fracassant retour. Il y a neuf mois, le président lui avait donné congé, aujourd'hui c'est lui qui l'a raccompagné, lui a serré la main longuement, l'a regardé s'engouffrer dans une voiture et disparaître, restant seul sur le tapis rouge sous un soleil de plomb. Aujourd'hui, c'est lui, le président.

Épilogue

Juin

C'est un samedi soir où la douceur domine. J'ai rendez-vous avec Emmanuel M. Nous nous sommes parlé régulièrement, lui et moi, depuis son installation à l'Élysée, nous avons échangé des SMS (souvent nocturnes, les vieilles habitudes sont tenaces), mais c'est la première fois que je le revois *en tête à tête*. Il m'a proposé de le rejoindre à la Lanterne, cet ancien pavillon de chasse situé à Versailles, utilisé comme résidence d'État de la République.

Il faut passer un premier contrôle de sécurité, remonter une allée, franchir une grille encadrée de colonnes elles-mêmes surmontées de têtes de cerf, être reçu par un majordome au visage impassible, emprunter un long couloir carrelé de blanc et noir.

Mon hôte, regard perçant, sourire affectueux, pas lent, m'attend dans le grand salon, où trône un piano. Je lui demande aussitôt s'il s'est essayé à en jouer (il a pratiqué pendant de nombreuses années et a même jadis reçu un troisième prix au conservatoire d'Amiens). Il se désole : « J'aurais adoré mais je n'en ai pas eu le temps encore. Tout s'est enchaîné, tu n'as pas une minute de répit. »

Je ne peux m'empêcher de le scruter pour déterminer si *quelque chose a véritablement changé* en lui. À en croire les commentateurs, il a enfilé le costume de président dès la première minute, pris immédiatement la dimension de la fonction. Il ne s'attarde pas : « J'avais fait ma mue avant. » Avant ? Est-ce à dire qu'il s'est vu président avant de le devenir ? Il précise sa pensée : « J'ai travaillé pour l'être mais je ne me le suis pas dit, parce que je suis superstitieux. Et, au fond, c'est au moment où j'avance dans la cour du Louvre que je l'intègre réellement. »

L'enfant de Picardie, l'ado de La Providence, le comédien amateur sur les planches, l'énarque qui s'espérait romancier, le banquier d'affaires millionnaire, le conseiller de l'ombre, tous ceux qu'il a été un jour ne pouvaient donc pas envisager pareil destin... Il confirme : « Je ne me suis pas rêvé président. Certes, j'ai un tempérament à diriger et je voulais faire des choses pour mon pays mais la politique n'a commencé à m'intéresser réellement qu'en 2007. Et quand, en 2012, je rejoins l'Élysée, je me bats mais je me rends compte rapidement qu'il n'y a pas assez de sens, de profondeur. C'est pour ça que je me désengage en 2014. Et puis, on me rappelle. Ministre, je n'ai pas réfléchi à cette question : tu es dans l'action pure. Mais dès que je me sens entravé, alors ça se forge. Et quand je me lance, ce n'est pas pour faire de la figuration. Je me dis : ça sera eux ou moi.»

Dans cette quête du pouvoir, a-t-il abdiqué une part d'humanité? Il esquive : «On s'endurcit. On franchit des étapes. Même le corps gagne en résistance. Une campagne, c'est un moment de séduction extrême, pas une séduction érotique, plutôt quelque chose qui relève de la force.»

Et l'exercice du pouvoir, à quoi l'oblige-t-il? «C'est avec les proches que tu es le plus dur. Il y a une part d'injustice dans les choix, qu'il faut assumer.» Cette dureté injuste se manifeste dès la composition du gouvernement, du cabinet : «Tu écartes des proches, des gens qui t'ont aidé depuis le commencement, tu en retiens d'autres qui viennent seulement d'arriver, tu choisis les meilleures personnes.» Il ajoute : «L'innocence n'est plus permise. Il n'y a plus rien d'indifférent.»

Et les premiers pas? «J'y ai mis beaucoup de concentration. Je savais que les Français me regardaient. J'étais obsédé par la nécessité d'être à la hauteur du moment. Il faut comprendre que la matière n'est que symbolique. Tout ce qui n'est pas symbolique est du temps perdu et de l'énergie gaspillée. Il y a, bien sûr, des actions à mener, des choses à bouger : c'est le symbolique et le quotidien.»

Comme tout le monde, je suppose, j'ai envie de savoir comment ça s'est passé avec Trump, avec Poutine. «Je me suis efforcé d'établir une relation directe, en étant à l'aise. Je n'avais ni appréhension, ni griserie. Et quand tu arrives, tu peux débloquer des choses qui étaient bloquées depuis longtemps, il y a indéniablement une sorte de grâce, et on doit l'utiliser pour avancer. À ce sujet, Merkel m'a cité Hermann Hesse : *"En tout commencement, un charme a sa demeure."* La question, c'est : combien de temps dure le charme ?»

À l'orée de l'été, les Français, précisément, semblent encore séduits. En revanche, certains éditorialistes ne sont pas tendres. Pour eux, il retrouve, comme par réflexe, des accents à la Audiard : «Ils disent à mon sujet : il ne veut pas jouer avec nous. Eh bien non, je ne veux pas jouer avec eux. Franchement, il y en a qui sont à la déontologie ce que Mère Teresa était aux stups. Ils me donnent des leçons de morale alors qu'ils sont dans le copinage et le coquinage depuis des décennies.»

Je lui fais remarquer que quelques intellectuels tirent également sur lui à boulets rouges, notamment Alain Badiou («*incarnation directe et indivise du consensus libéral*»), Michel Onfray («*une fiction, un menteur, un pantin démagogue*»), Emmanuel Todd (triomphe de la «*servitude maastrichtienne*»), Alain Finkielkraut («*le progressisme béat*»), Régis Debray («*le couronnement de l'Amérique*»). Il balaye : «Ils ne m'intéressent pas tellement. Ils sont dans de vieux schémas. Ils regardent avec les yeux d'hier le monde d'hier. Ils font du bruit avec de vieux instruments. Pour une large part d'entre eux, ça fait longtemps qu'ils n'ont pas produit quelque chose de renversant. Du reste, ils proposent quoi ? Ils sont sur leur Aventin. Ils n'aiment pas l'action politique, mais vivent de son commentaire. Ils sont devenus des éditorialistes. Des esprits tristes englués dans l'invective permanente. Ce qu'ils détestent, c'est l'idée même d'une réconciliation. Je leur préfère de vrais penseurs. Jürgen Habermas, par exemple. On se situe à un autre niveau.»

J'évoque alors la supposée solitude du pouvoir, pour comprendre si elle est une invention romantique ou si elle correspond à une réalité. Il est tranché : «Elle est absolue, cette solitude. D'abord, le lieu isole, il est silencieux, chargé. Mais surtout, la fonction isole. Même si je m'efforce d'avoir une méthode collégiale, tu es la clé de voûte. Tu n'as plus de gens à qui tu peux dire les choses innocemment. Et tu ne peux pas avoir une minute de relâche. Et il y a une part irréductible de mystère, la nécessité du secret. Tu retrouves une sorte d'épaisseur métaphysique. Ce n'est pas une fonction, c'est un être.»

Il s'interrompt, les yeux regardent au-dedans, le silence s'installe. Il se souvient : «Quand tu mènes campagne, c'est une vie de corsaire, tu pars à l'abordage, tu portes le sabre et des types te suivent et il y a des moments où tu peux te détendre, il y a de la joie et tu es drogué à la présence permanente. Dans l'exercice du pouvoir, c'est le contraire. Tu es dans la solennité, la gravité, la rareté, tu dois être dans ce qui fait l'Histoire.»

Et la mort qui accompagne la fonction présidentielle ? «À Gao, au Mali, quand je passe les troupes en revue, je sais ce que je leur demande. Je tiens un discours grave. Ils me regardent comme le chef des Armées. Eux et moi, nous savons ce que cela signifie.»

Je dis : «Tu pourrais avoir la main qui tremble, ça se comprendrait...» Il me coupe : «Si tu as la main qui tremble, tu ne fais pas ce métier.»

Et sa mort à lui, y pense-t-il, lui qui est devenu une cible, lui que les terroristes ont juré d'abattre, lui qui se déplace fréquemment au contact des gens et pourrait se retrouver nez à nez avec un fou ? Il élude : « Non. » Corrige : « Pas plus qu'avant. » Précise : « Ou de manière fugace. » Se fait sombre : « La mort qui importe, c'est celle qui hante le pays. C'est ça, ma responsabilité. »

Je referme alors le carnet sur lequel je prends des notes. Je songe à tous les carnets qui se sont empilés sur mon bureau depuis que cette aventure présidentielle a débuté, toutes ces paroles alignées, le plus souvent saisies à la volée, griffonnées à la hâte, reproduites avec le souci de ne pas les déformer, toutes ces phrases qui disent un long compagnonnage, un parcours hors normes, toutes celles aussi que je ne reproduirai pas parce qu'elles n'appartiennent qu'à nous.

Et c'est probablement cette image des carnets noirs empilés qui décide de notre dernier échange tandis que nous nous séparons : « Au fait, Emmanuel, pas de regret de ne pas être devenu écrivain ? » Sa réponse fuse : « La vie n'est pas finie. »

Et il sourit.

La photocomposition de cet ouvrage
a été réalisée par
GRAPHIC HAINAUT
30, rue Pierre Mathieu
59410 Anzin

Imprimé en France par CPI
en août 2017

N° d'édition : 56311/01 – N° d'impression : 3024220